新装版
ビジネスのための日本語

Getting Down to Business: Japanese for Business People

米田隆介・藤井和子・重野美枝・池田広子 共著

初中級
Lower Intermediate Level

©1998 by YONEDA Kyoko, FUJII Kazuko, SHIGENO Mie, and IKEDA Hiroko

All rights reserved. No part of this publication may be reproduced, stored in a retrieval system, or transmitted in any form or by any means, electronic, mechanical, photocopying, recording, or otherwise, without the prior written permission of the Publisher.

Published by 3A Corporation.
Trusty Kojimachi Bldg., 2F, 4, Kojimachi 3-Chome, Chiyoda-ku, Tokyo 102-0083, Japan

ISBN978-4-88319-401-8 C 0081

First published 1998
Printed in Japan

はじめに

　本書は1996年10月に出版された『商談のための日本語』の姉妹版です。『商談のための日本語』はすでに中級レベルに達している学習者を対象としておりましたが、ご使用くださった方々から、「初級レベルを終了したばかりの学習者でも無理なくビジネス日本語が学べるテキストがほしい」という声を数多くいただきました。そこで、この度、初級文法は一通り学習したが、まだ使いこなせないという学習者のために本書を作成いたしました。

　本書はビジネス現場ですぐに役立つ会話表現に焦点を当てており、ビジネスマン、企業研修生、また、日本企業への就職を希望する大学生など、幅広く、多くの方に使用していただけます。

　また、本書は以下の特色を備えています。(1)機能別に課が構成されており、学習者のニーズに応じてどの課からでも始められる。(2)各課はSTAGEごとに⦅社内⦆と⦅社外⦆に分かれており、学習者のニーズに応じてどちらか一方のみ学習することも可能である（ただし、第7課アポイントは、内容の性質上、⦅社外⦆のみ）(3)本書は、クラス授業にも、プライベートレッスンにも、また、独学用にも使用可能である。（漢字には全て振り仮名をつけるなど、独学者に対する配慮もしてある）

　本書が完成するまでには多くの方にご協力いただきましたが、とりわけ、出版にご尽力くださった株式会社スリーエーネットワークの皆様に心より感謝申し上げます。本書がビジネス日本語を学ぶ方の学習の一助となれば幸いです。

1998年11月　　　　　　　　　　　　　　　　　　　　　米田隆介　藤井和子
　　　　　　　　　　　　　　　　　　　　　　　　　　重野美枝　池田広子

FOREWORD

This book is the sister volume to *We Mean Business: Japanese for Business People*, an intermediate-level Japanese language textbook that was published in October 1996. A number of users of *We Mean Business* wrote to us requesting that we make a business Japanese textbook for students who had just completed the introductory level; therefore, this book has been written specifically for those students who have studied basic Japanese grammar but have only a small command of the language.

This book focuses on conversational expressions that can be used in actual business situations by business people, company trainees, and undergraduates who seek employment in Japanese firms.

The book also provides the following features:

1. Each lesson lists its functions and objectives, thereby allowing the student to begin at any lesson according to his needs.
2. Each lesson consists of **STAGES** which separate *shanai* (within the company) from *shagai* (outside the company) situations. This enables the student to study either situation according to his needs (the only exception is **Lesson 7 "Appointments,"** which because of its very nature only covers *shagai* situations).
3. This book can be used for classroom teaching, one-on-one lessons, or self-study (all *kanji* characters are shown with their *hiragana* readings for the convenience of self-study students).

We are grateful to many people for their support in completing this book. In particular, we would like to extend our sincere thanks to the staff of 3A Corporation for assisting us with its editing and publishing.

We hope that *Getting Down to Business* will greatly help people who need to study business Japanese.

    Ryusuke Yoneda, Kazuko Fujii, Mie Shigeno and Hiroko Ikeda
    November 1998

このテキストで指導する方へ

1. 本書の構成と特徴

　本書は、初級レベルの学習修了者を対象に、ビジネスの現場ですぐに役立つ会話表現の習得を目的とした教材である。全体は8課から成り、各課は機能によって分けられている。

　1つの課はSTAGE 1からSTAGE 4の4つのパートから成り、段階を追って無理なく日本語の力が伸ばせるよう工夫されている。また、特にビジネスで使う日本語は、社内と社外で使う表現やスピーチレベルが異なるため、各STAGEを（社内）と（社外）に分けて練習するようになっている（第7課と一部のSTAGE 4を除く）。本書の使用にあたっては、学習者のニーズに合わせて、どの課からも始めることが可能で、（社内）と（社外）のどちらか一方のみを学習することもできる。なお、学習時間は1課につき4時間を目安としている（クラス授業の場合）。

　表記に関しては、漢字は常用漢字の範囲内で使用し、会話練習中心のテキストであることを考慮して、すべての漢字に振り仮名をつけた。

　別冊としてテキストガイドがある。テキストガイドには、その課で学習する機能表現とその説明（Note）の他に、以下のものが含まれている。

STAGE 1　練習2・ロールプレイの会話例
STAGE 2　問題の解答・会話中の空欄に入る機能表現・ロールプレイ会話例
STAGE 3　ロールプレイ会話例
STAGE 4　教師向け留意点
Key expressions　その課で学習する機能表現の一覧

2. 内容及び使い方

STAGE 1　本書では、機能表現の導入時に、教師が口頭で状況あるいは場面を与え、そのような場面ではどんな表現を使ったらよいかを学習者に考えさせることを意図している。そのため、本文中で機能表現を明記することを避けた。その課で学習する機能表現についてはテキストガイドを参照。

　　　　会話　その課で学習する機能表現を含んだ短い会話である。CDを聴いて、スムーズに言えるようになるまで練習する。

　　　　練習1　その課で学習する機能表現を、状況あるいは場面を変えて練習する代

　　　　　　　入練習。この練習は、機能表現の定着をはかるだけでなく、それぞれの機能表現が使用される場面の紹介も兼ねている。

　　　練習2　会話と同じパターンのやりとりを状況あるいは場面を変えてロールプレイを行う。

　　　ロールプレイ　STAGE 1のまとめとして短いロールプレイを行う。

STAGE 2　1.　CDを聴かせて、状況および場面を把握させる問題。解答はテキストガイドを参照。

　　　2.　CDを再度聴かせて、状況・内容・機能表現・語彙等の説明をする。

　　　3.　下線部に相当する機能表現を書かせて会話を完成させることにより、機能表現を定着させる。下線部の初めに機能表現の説明があるので、これをヒントにして会話に合う表現を書かせる。

　　　4.　3で書いた機能表現をCDの表現と比較することで、的確な表現を確認させる。状況に合った表現が書けていれば、CD通りでなくてもよい。CDの表現は、テキストガイドを参照。

　　　5.　ここではその課で学習する機能表現を実際に使えるように、コントロールされたロールプレイを行う。

STAGE 3　STAGE 1、STAGE 2で学習した表現の使い方を総合的に練習し、実際のビジネス場面で使えるようにするためにロールプレイによる運用練習を行う。

STAGE 4　学習した表現がどのように使われているかを、実際の場面で観察させたり、使用させたりして、その結果を教室で発表させる。

読み物　日本でのビジネス習慣に関する読み物で、原則としてその課の内容に関連したテーマで書かれている。難易度の高い語彙については英訳がついているので、自習用とすることもできる。

3.　授業の一例

　各課に入る前に、その課で学習する機能表現を使う時のワンポイントアドバイスや日本でのビジネスマナーなどを説明しながらウォーミングアップをする。

STAGE 1　会話　・CDで導入

　　　　　　　・場面、状況の確認

　　　　　　　・機能表現の説明

　　　　　　　・リピート練習

　　　　　練習1　代入練習
　　　　　練習2　・AとBの役割確認
　　　　　　　　・使用する機能表現の確認
　　　　　　　　・ロールプレイ
　　　　　ロールプレイ（STAGE 1のまとめ）　練習2と同様に行う

STAGE 2　1.　CDで導入し、状況、場面を把握
　　　　　2.　CDを再度聴かせる（内容、状況、語彙等の説明）
　　　　　3.　会話完成問題（機能表現の説明を元に表現を書かせる）
　　　　　4.　3で書いた表現とCDの表現との比較
　　　　　5.　ロールプレイ　・機能表現、場面、役割の確認
　　　　　　　　　　　　　　・新出語彙の導入
　　　　　　　　　　　　　　・ロールプレイの実施
　　　　　　　　　　　　　　・フィードバック
　　　　　　　方法例　①ロールプレイを録音しておき、それを聴きながら、表現の使い方を確認する。
　　　　　　　　　　　②ロールプレイを行っている時に、教師が目立った間違いをメモしておき、後で指導する。

STAGE 3　・場面、役割の確認
　　　　　・新出語彙の導入
　　　　　・ロールプレイの実施
　　　　　・フィードバック（STAGE 2ロールプレイと同様）

STAGE 4　各課の終了後に宿題として与え、次回、教室で確認する。

読み物　　クラスで一緒に読む

To the student

1. The structure and features

This book is designed for the student who has completed introductory level Japanese, and enables him to master conversational expressions that are useful in a business environment. The book consists of 8 lessons and each lesson is categorized according to a particular type of situation or function. There are four parts (from **STAGE 1** to **STAGE 4**) to each lesson, and these parts enable the student to improve his fluency in Japanese step by step and without difficulty. Since the Japanese used in a business context greatly depends on whether it is a *shanai* or *shagai* situation, the student is expected to practice both types of language individually in each **STAGE 4** (the exceptions to this are **Lesson 7** and some **STAGE 4**'s). The student can begin with any one of the lessons and has the choice of studying either only *shanai* or only *shagai*. Four hours a lesson is the standard time required when taught in class.

As this book focuses mainly on practicing conversation, the *kanji* characters are limited to those that will be frequently encountered in daily life and are shown with their *hiragana* readings. The **Text Guidebook** is a separate volume located at the back of the main text, and, in addition to the following, includes notes and the set expressions found in each lesson.

STAGE 1: Practice 2 and sample dialogues for roleplays
STAGE 2: Answers to the set questions, set expressions (used to fill in the blanks in the dialogues) and sample dialogues for roleplays
STAGE 3: Sample dialogues for roleplays
STAGE 4: Teaching points for the instructor
Key expressions : A list of the set expressions found in the lesson

2. Contents and instructions for use

STAGE 1

When the instructor starts the lesson, he orally provides the students with particular situations or scenes and then encourages the students to come up with possible expressions that would be appropriate for the given examples. Specifying the set expressions found in the text is avoided (the set expressions for the lesson can be found in the **Text Guidebook**). The short dialogues in this **STAGE** include the set expressions given in the lesson. The student is expected to speak with greater fluency after listening to the CD.

Practice 1: This is a substitution drill which involves using the lesson's set expressions in various situations or scenes. This practice not only helps the student to master the actual expression but also introduces the situations when they are used.
Practice 2: This is a roleplay exercise using the same dialogue patterns in different situations or scenes.

Roleplay： This is a short roleplay that completes **STAGE 1**.

STAGE 2
1. The student listens to the CD and identifies the given situation or scene (answers can be found in the **Text Guidebook**).
2. The student listens to the CD once again to confirm his understanding of the situation, content, set expressions, vocabulary, etc.
3. The student completes the dialogue by filling in the blanks with what he feels are appropriate expressions. This will help the student to master such expressions.
4. The student compares his own expressions filled in #3 with the expressions on the CD. This helps him to confirm the most appropriate expressions. If the student's expressions are contextual, they do not have to be the same as on the CD. Expressions on the CD can be found in the **Text Guidebook**.
5. With controlled roleplays, the student should be able to practically use the set expressions given in the lesson.

STAGE 3
The student reviews the expressions he has studied in **STAGE 1** and **STAGE 2** and also continues to practice the roleplays, all of which simulate actual business situations.

STAGE 4
The student observes how the expressions he has studied are used in actual business situations and presents what he has learned to the class.

Reading sections

The reading sections are about Japanese business practice and they reflect the themes introduced in each lesson. As an English translation of difficult vocabulary is provided, the student can study these on his own.

目次

はじめに ……………………………………………………………………………… iii
このテキストで指導する方へ ……………………………………………………… v
To the student …………………………………………………………………… viii
Company words and expressions ……………………………………………… xx

第1課　紹介 ……………………………………………………………………… 1
STAGE 1 ……………………………………………………………………… 2
　　　社内　1. 自己紹介する　2. 他の人を紹介する
　　　　　　ロールプレイ
　　　社外　1. 自己紹介する　2. 他の人を紹介する
　　　　　　ロールプレイ
STAGE 2 ……………………………………………………………………… 6
　　　社内　会話　新入社員
　　　社外　会話　訪問
STAGE 3 ……………………………………………………………………… 11
　　　1. 新しい職場で自己紹介する
　　　2. 訪問先の受付で自己紹介する
　　　3. 社外の人に自己紹介する
STAGE 4 ……………………………………………………………………… 13
　　名刺 …………………………………………………………………………… 14

第2課　あいさつ ……………………………………………………………… 15
STAGE 1 ……………………………………………………………………… 16
　　　社内　1. 出社した時のあいさつ　2. 退社する時のあいさつ
　　　　　　3. 久しぶりに会った時のあいさつ
　　　　　　ロールプレイ
　　　社外　1. 再会した時のあいさつ　2. 別れる時のあいさつ
　　　　　　3. 久しぶりに会った時のあいさつ
　　　　　　ロールプレイ
STAGE 2 ……………………………………………………………………… 22
　　　社内　会話1　欠勤した翌日　会話2　残業
　　　社外　会話　訪問客
STAGE 3 ……………………………………………………………………… 28

　　　　　　　1. 出社時に同僚とあいさつをする　2. 退社時に同僚とあいさつをする　3. 訪問客とあいさつをする
　　　STAGE 4 ･･･ 30
　　　　あいさつの後で ･･･ 31

第3課　許可 ･･･ 33
　　　STAGE 1 ･･･ 34
　　　　社内　1. 意向を尋ねて許可を求める
　　　　　　　　(1) 許可する　(2) 許可しない
　　　　　　　2. 可能性を尋ねて許可を求める
　　　　　　　　(1) 許可する　(2) 許可しない
　　　　　　　ロールプレイ
　　　　社外　1. 意向を尋ねて許可を求める
　　　　　　　　(1) 許可する　(2) 許可しない
　　　　　　　ロールプレイ
　　　STAGE 2 ･･･ 40
　　　　社内　会話1　休暇の許可願い　会話2　物の貸し借り
　　　　社外　会話　訪問
　　　STAGE 3 ･･･ 46
　　　　1. 早退の許可を求める　2. 物を借りる許可を求める
　　　　3. 訪問の許可を求める
　　　STAGE 4 ･･･ 47
　　　　休暇 ･･･ 48

第4課　依頼 ･･･ 49
　　　STAGE 1 ･･･ 50
　　　　社内　1. 依頼する　(1) 受ける　(2) 断る
　　　　　　　ロールプレイ
　　　　社外　1. 依頼する　(1) 受ける　(2) 断る
　　　　　　　2. 強く依頼する　(1) 受ける　(2) 断る
　　　　　　　ロールプレイ
　　　STAGE 2 ･･･ 55
　　　　社内　会話1　上司に頼む　会話2　ワープロ打ちを強く頼む
　　　　社外　会話　見本市への出品を頼む
　　　STAGE 3 ･･･ 61
　　　　1. レポートの期限の延期　2. データ整理の手伝い
　　　　3. 値引きの依頼

	STAGE 4 ···	63
	紹介を頼む ··	64
第5課 誘い ···		65
	STAGE 1 ···	66
	社内　1. 誘う　(1) 受ける　(2) 断る	
	2. 勧める　(1) 受ける　(2) 断る	
	ロールプレイ	
	社外　1. 誘う　(1) 受ける　(2) 断る	
	2. 勧める　(1) 受ける　(2) 断る	
	ロールプレイ	
	STAGE 2 ···	73
	社内　会話1 上司を誘う　会話2 同僚を飲みに誘う	
	社外　会話 共同輸送の説明会に誘う	
	STAGE 3 ···	79
	1. 部長をテニスに誘う　2. 同僚を飲みに誘う	
	3. 同業者を勉強会に誘う	
	STAGE 4 ···	81
	職場の和 ··	82
第6課 電話 ···		83
	STAGE 1 ···	84
	社内　1. 電話を取り次ぐ　2. 伝言を頼む	
	3. 伝言を申し出る	
	ロールプレイ	
	社外　1. 電話を取り次ぐ　2. 伝言を頼む	
	3. 伝言を申し出る	
	ロールプレイ	
	STAGE 2 ···	93
	社内　会話1 伝言を伝える　会話2 同僚に伝言を頼む	
	社外　会話 伝言を申し出る	
	STAGE 3 ···	99
	1. 他の部からの電話　2. 同僚からの電話	
	3. 他社からの電話	
	STAGE 4 ···	101
	「うちの会社」 ··	102

第7課　アポイント ……………………………………………………………… 103
　　STAGE 1 ……………………………………………………………………… 104
　　　　1. アポイントの申し入れ　2. 曜日の設定　3. 時間の設定
　　　　4. 日時の確認と場所の設定　5. 確認して電話を切る
　　　　ロールプレイ
　　STAGE 2 ……………………………………………………………………… 110
　　　　会話 1 アポイントを取る　会話 2 アポイントの日時の変更
　　　　依頼　会話 3 アポイントの時間の変更依頼
　　STAGE 3 ……………………………………………………………………… 116
　　　　1. アポイントを取る　2. アポイントの変更
　　　　3. アポイントを取って、その後変更する
　　STAGE 4 ……………………………………………………………………… 119
　　　　他社訪問 ………………………………………………………………… 120

第8課　提案・申し出 …………………………………………………………… 121
　　STAGE 1 ……………………………………………………………………… 122
　　　　社内　1. 申し出る　(1) 受ける　(2) 断る
　　　　　　　2. 会議で提案する
　　　　　　　ロールプレイ
　　　　社外　1. 申し出る　(1) 受ける　(2) 断る
　　　　　　　2. 合同会議で提案する
　　　　　　　ロールプレイ
　　STAGE 2 ……………………………………………………………………… 127
　　　　社内　会話 1　上司への申し出
　　　　　　　会話 2　同僚への申し出
　　　　　　　会話　合同会議
　　STAGE 3 ……………………………………………………………………… 133
　　　　1. 歓迎会の幹事　2. 同僚への申し出　3. 車の共同開発
　　STAGE 4 ……………………………………………………………………… 136
　　　　提案を通すための根回し ……………………………………………… 137

語彙索引 …………………………………………………………………………… 139

CONTENTS

Foreword ·· iv
To the student ·· viii
Company words and expressions ·· xx

Lesson 1 Introductions ··· 1
    STAGE 1 ·· 2
        Shanai 1. Introducing yourself
                  2. Introducing others
        Roleplay
        Shagai 1. Introducing yourself
                  2. Introducing others
        Roleplay
    STAGE 2 ·· 6
        Shanai New employee
        Shagai Company visit
    STAGE 3 ·· 11
        1. Introducing yourself at a new office
        2. Introducing yourself at a reception desk
        3. Introducing yourself to people from another company
    STAGE 4 ·· 13
    Meishi (Business cards) ·· 14

Lesson 2 Greetings ·· 15
    STAGE 1 ·· 16
        Shanai 1. Arriving at work
                  2. Leaving work
                  3. Meeting after a long time
        Roleplay
        Shagai 1. Saying hello
                  2. Saying goodbye
                  3. Meeting after a long time
        Roleplay
    STAGE 2 ·· 22
        Shanai 1. Returning to work after an absence

2. Working late	
Shagai Visitors	
STAGE 3	28
1. Arriving at work	
2. Leaving work	
3. Exchanging greetings with a customer	
STAGE 4	30
Aisatsu no ato de (After exchanging greetings)	31

Lesson 3 Permission ... 33

STAGE 1	34
Shanai 1. Asking for permission	
(1) Giving permission	
(2) Refusing permission	
2. Asking for permission	
(1) Giving permission	
(2) Refusing permission	
Roleplay	
Shagai 1. Asking for permission	
(1) Giving permission	
(2) Refusing permission	
Roleplay	
STAGE 2	40
Shanai 1. Asking for permission to take time off work	
2. Borrowing and lending	
Shagai Company visit	
STAGE 3	46
1. Asking for permission to leave early	
2. Asking for permission to borrow something	
3. Asking for permission to visit	
STAGE 4	47
Kyūka (Holidays)	48

Lesson 4 Requests ... 49

STAGE 1	50
Shanai 1. Making a request	
(1) Agreeing	

xv

                (2) Declining
        Roleplay
        Shagai 1. Making a request
                (1) Agreeing
                (2) Declining
             2. Making a strong request
                (1) Agreeing
                (2) Declining
        Roleplay
    STAGE 2 ·· 55
        Shanai 1. Making a request to a superior
              2. Asking for something to be typed
        Shagai Asking someone to take part in a trade fair
    STAGE 3 ·· 61
        1. Postponing the deadline of a report
        2. Helping to prepare data
        3. Asking for a discount
    STAGE 4 ·· 63
    Shōkai o tanomu (Asking to be introduced) ·········· 64

Lesson 5 Inviting ·· 65
    STAGE 1 ·· 66
        Shanai 1. Inviting
                (1) Accepting
                (2) Declining
             2. Offering things
                (1) Accepting
                (2) Declining
        Roleplay
        Shagai 1. Inviting
                (1) Accepting
                (2) Declining
             2. Offering things
                (1) Accepting
                (2) Declining
        Roleplay

	STAGE 2	73
Shanai	1. Inviting a superior	
	2. Inviting a colleague for a drink	
Shagai	Inviting someone in the same business to a work-related meeting	

STAGE 3 ········· 79
1. Inviting a superior to a tennis weekend
2. Inviting a colleague for a drink
3. Inviting a fellow businessman to a study meeting

STAGE 4 ········· 81

Shokuba no wa (Harmony in the office) ········· 82

Lesson 6 Telephoning ········· 83

STAGE 1 ········· 84

Shanai 1. Answering the phone and putting people through
2. Asking to leave a message
3. Offering to take a message

Roleplay

Shagai 1. Answering the phone and putting people through
2. Asking to leave a message
3. Offering to take a message

Roleplay

STAGE 2 ········· 93

Shanai 1. Conveying a message
2. Asking a colleague to convey a message

Shagai Offering to take a message

STAGE 3 ········· 99
1. Telephone call from another department
2. Telephone call from a colleague
3. Telephone call from another company

STAGE 4 ········· 101

Uchi no kaisha (Our company) ········· 102

Lesson 7 Appointments ········· 103

STAGE 1 ········· 104

xvii

                1. Asking for an appointment
                2. Setting up the meeting day
                3. Setting up the time
                4. Confirming the date and time and deciding where to meet
                5. Confirming the arrangements and ending the conversation
                Roleplay
            STAGE 2 ·········· 110
                1. Making an appointment
                2. Asking to change the date
                3. Asking to change the time
            STAGE 3 ·········· 116
                1. Making an appointment
                2. Changing an appointment
                3. Making an appointment and then changing it
            STAGE 4 ·········· 119
            Tasha hōmon (Visiting other companies) ·········· 120

Lesson 8 Proposals and Offers of Help ·········· 121
            STAGE 1 ·········· 122
                Shanai 1. Offering help
                        (1) Accepting
                        (2) Declining
                    2. Making a proposal at a meeting
                Roleplay
                Shagai 1. Offering help
                        (1) Accepting
                        (2) Declining
                    2. Making a proposal at a joint meeting
                Roleplay
            STAGE 2 ·········· 127
                Shanai 1. Offering to help a superior
                        2. Offering to help a colleague
                Shagai Joint meeting
            STAGE 3 ·········· 133
                1. Offering to help a superior

　　　　　2. Offering to help a colleague
　　　　　3. Making proposals at a meeting
　　STAGE 4 136
　　Teian o tōsu tame no nemawashi（Groundwork）...... 137

INDEX 139

Company words and expressions

会長	かいちょう	chairman
社長	しゃちょう	president
頭取	とうどり	bank president
副社長	ふくしゃちょう	vice president
副頭取	ふくとうどり	vice bank president
専務	せんむ	senior managing director
常務	じょうむ	managing director
部長	ぶちょう	general manager
部長代理	ぶちょうだいり	deputy general manager
次長	じちょう	deputy general manager
課長	かちょう	section manager
課長代理	かちょうだいり	deputy section manager
係長	かかりちょう	chief
主任	しゅにん	supervisor
上司	じょうし	superior
同僚	どうりょう	colleague
部下	ぶか	subordinate
本社	ほんしゃ	head office
支社	ししゃ	branch office
支社長	ししゃちょう	branch manager
本店	ほんてん	head office, main branch
支店	してん	branch office, branch
支店長	してんちょう	branch manager
営業部/課	えいぎょうぶ/か	sales department/section
企画部/課	きかくぶ/か	planning department/section
技術部/課	ぎじゅつぶ/か	technical department/section
人事部/課	じんじぶ/か	personnel department/section
総務部/課	そうむぶ/か	general affairs department/section
当社	とうしゃ	our company
御社	おんしゃ	your company

第1課
Introductions
紹介

　社外の人に自己紹介する時には、まず名刺を渡します。ですから名刺はいつも準備しておきましょう。また紹介する時は、先に社外の人に社内の人を紹介します。

第1課　紹介

STAGE 1

社内

1. 自己紹介する　Introducing yourself

A：①本社からまいりました加藤と申します。よろしくお願いします。
B：チャンと申します。こちらこそ、よろしくお願いします。

練習1　1)　①今日からお世話になります
　　　　2)　①こちらで研修を受けることになりました
練習2　A（本社に転勤してきた社員）：ロンドン支社から来ました。自己紹介してください。
　　　　B（本社社員）：自己紹介してください。

（A has been transferred to the head office, where he meets B.）
A：You have been transferred from the London branch office. Introduce yourself to B.
B：Introduce yourself to A.

2. 他の人を紹介する　Introducing others

A：（Cに）うちの部の山本さんです。
　　（Bに）こちらは①本店の高橋さんです。
B：山本です。はじめまして。
C：高橋です。はじめまして。

練習1　1)　①大阪支社
　　　　2)　①営業部

---

p.1　社外　しゃがい　outside the company　自己紹介する　じこしょうかいする　introduce oneself
また　also　先に　さきに　first　社内　しゃない　inside the company　p.2　本社　ほんしゃ
head office　研修を受ける　けんしゅうをうける　receive training　転勤する　てんきんする　be transferred
支社　ししゃ　branch office　他の人　ほかのひと　others　うちの部　うちのぶ　our department
本店　ほんてん　head office　営業部　えいぎょうぶ　sales department

第1課　紹介

練習2　A（Bの同僚）：BをCに、CをBに紹介してください。
　　　　B（Aの同僚）：自己紹介してください。
　　　　C（ロンドン支社社員）：自己紹介してください。

（A and B are colleagues. C is from the London branch office.）
A：Introduce B to C and C to B.
B：Introduce yourself to C.
C：Introduce yourself to B.

▶ロールプレイ

1.　A（研修生）：今日から企画部で研修を受けることになりました。自己紹介してください。
　　B（企画部社員）：自己紹介してください。

（A is a trainee and B is from the planning department.）
A：You will start training in the planning department today.
　　Introduce yourself to B.
B：Introduce yourself to A.

2.　A（Bの同僚）：BをCに、CをBに紹介してください。
　　B（Aの同僚）：自己紹介してください。
　　C（総務部社員）：自己紹介してください。

（A and B are colleagues. C is from the general affairs department.）
A：Introduce B to C and C to B.
B：Introduce yourself to C.
C：Introduce yourself to B.

同僚　どうりょう　colleague　　研修生　けんしゅうせい　trainee　　企画部　きかくぶ　planning department
総務部　そうむぶ　general affairs department

第1課　紹介

社外

1. 自己紹介する　Introducing yourself

CD 03

A：コスモ商事の山田と申します。どうぞよろしくお願いいたします。
B：①担当の小林と申します。こちらこそ、よろしくお願いいたします。

練習1　1）①総務
　　　　2）①広報担当

練習2　A（X社社員）：自己紹介してください。
　　　　B（Y社営業担当）：自己紹介してください。

（A is from X company and B is in charge of sales at Y company.）
A：Introduce yourself to B.
B：Introduce yourself to A.

2. 他の人を紹介する　Introducing others

CD 04

A：（Cに）ご紹介します。①課長の伊藤です。
　　（Bに）こちらは販売担当の吉田さんです。
B：伊藤でございます。いつもお世話になっております。
C：吉田でございます。こちらこそ、お世話になっております。

練習1　1）①部長
　　　　2）①支店長

練習2　A（X社部下）：BをCに、CをBに紹介してください。
　　　　B（X社係長）：自己紹介してください。
　　　　C（Y社総務担当）：自己紹介してください。

（A is a subordinate of B's at X company and C is in charge of general affairs at Y company.）
A：Introduce B to C and C to B.
B：Introduce yourself to C.
C：Introduce yourself to B.

コスモ商事　コスモしょうじ　Cosmo Trading Company（fictitious company）　　担当　たんとう　in charge of
広報　こうほう　public relations　　課長　かちょう　section manager　　販売　はんばい　sales
部長　ぶちょう　general manager　　支店長　してんちょう　branch manager　　部下　ぶか　subordinate
係長　かかりちょう　chief

第1課　紹介

▶ロールプレイ

1. A（X社社員）：自己紹介してください。
   B（Y社広報担当）：自己紹介してください。

   （A is from X company and B is in charge of public relations at Y company.）
   A：Introduce yourself to B.
   B：Introduce yourself to A.

2. A（X社東京支社長）：BをCに、CをBに紹介してください。
   B（X社大阪支社長）：自己紹介してください。
   C（Y社営業担当）：自己紹介してください。

   （A is Tokyo branch manager of X company, B is Osaka branch manager of the same company and C is in charge of sales at Y company.）
   A：Introduce B to C and C to B.
   B：Introduce yourself to C.
   C：Introduce yourself to B.

支社長　ししゃちょう　branch manager

第1課　紹介

STAGE 2

（社内）

会話　新入社員　New employee
CD 05
A：新入社員　ジョンソン
B：片岡

1. CDを聴いて、質問に答えてください。
   1) ジョンソンさんはいつ日本へ来ましたか。
   2) ジョンソンさんはこの会社に入る前に何をしていましたか。

2. もう一度CDを聴いてください。

3. 会話を完成してください。
   A：今日からお世話になりますジョンソン（①自己紹介する）_____。
   B：片岡（②自己紹介する）_____。ジョンソンさんはいつ日本へいらっしゃったんですか。
   A：2年前です。
   B：そうですか。うちの会社に入る前は何をなさっていたんですか。
   A：名古屋の貿易会社で仕事をしていました。
   B：そうですか。日本語はどちらで勉強なさったんですか。
   A：日本語学校で勉強しました。でも、仕事の時はあまり日本語を使わなかったんです。これからもっと勉強しないと。
   B：そうですか。ここは英語がわからない人が多いですから、頑張ってください。（③話を終える）_____。わからないことがあったら、何でも聞いてください。
   A：ありがとうございます。

新入社員　しんにゅうしゃいん　new employee　　完成する　かんせいする　complete
貿易会社　ぼうえきがいしゃ　trading company　　終える　おえる　finish

第1課　紹介

4. もう一度CDを聴いて、自分の書いた表現と比べてください。

5. ロールプレイ

A：営業部新入社員 (A new employee of the sales department)	B：営業部社員 (From the sales department)
①今日から営業部で働くことになりました。自己紹介してください。 You will start working in the sales department today. Introduce yourself to B.	②自己紹介してください。そして、いつ日本へ来たか聞いてください。 Introduce yourself to A and ask him when he came to Japan.
③2週間前だと言ってください。 Tell B that you came to Japan two weeks ago.	④日本へ来る前は何をしていたか聞いてください。 Ask A what he was doing before he came to Japan.
⑤ニューヨークの証券会社で仕事をしていたと言ってください。 Tell B that you were working for a securities company in New York.	⑥どこで日本語を勉強したか聞いてください。 Ask A where he studied Japanese.
⑦大学で勉強したが、会話の勉強はあまりしなかったと言ってください。そして、これからもっと勉強しないといけないと言ってください。 Tell B that you studied Japanese at university but you did not get so much conversation practice. Tell B that you need to study Japanese more than ever.	⑧ここは英語がわからない人が多いから、頑張るように言ってください。そして話を終え、わからないことは何でも聞くように言ってください。 Tell A to do his best because there are few staff members who can speak English. Finish your conversation and tell A not to hesitate to ask you anything.
⑨お礼を言ってください。 Thank B.	

表現　ひょうげん　expression　　比べる　くらべる　compare　　証券会社　しょうけんがいしゃ　securities company

第1課　紹介

社外

会話　訪問　Company visit

A：コスモ商事受付
B：アジア銀行　松本
C：コスモ商事総務課長　市川

1. CDを聴いて、質問に答えてください。
   1) 松本さんは、どうしてコスモ商事を訪ねましたか。

2. もう一度CDを聴いてください。

3. 会話を完成してください。

    A：いらっしゃいませ。
    B：私、アジア銀行の松本（①名前を言う）_____。総務課長の市川様（②面会を求める）
    _____。
    A：失礼ですが、お約束がございますか。
    B：ええ、2時半に。
    A：さようでございますか。少々お待ちください。
    ——内線電話で市川に連絡する
    A：松本様。ただ今、市川がこちらにまいりますので、もう少々お待ちください。
    B：そうですか。どうも。
    ——しばらくして市川が来る
    C：（③待たせたことを謝る）_____。
    B：アジア銀行の松本（④自己紹介する）_____。
    C：松本さん（⑤名前を確認する）_____。総務担当の市川（⑥自己紹介する）_____。アジア銀行さんは銀座にあるんですね。
    B：ええ、東銀座駅から歩いて2、3分のところにあるんです。

受付　うけつけ　receptionist　　訪ねる　たずねる　visit　　面会を求める　めんかいをもとめる　ask to see　　約束　やくそく　appointment　　さようでございますか　I see.　　内線電話　ないせんでんわ　extension telephone　　ただ今　ただいま　now　　しばらくして　after a while　　謝る　あやまる　apologize　　確認する　かくにんする　confirm

第1課　紹介

4. もう一度CDを聴いて、自分の書いた表現と比べてください。

5. ロールプレイ
   1) 受付で　At a reception desk

A：X社受付 (Receptionist at X company)	B：Y社社員 (From Y company)
①（Bが来ました。）あいさつをしてください。 (B approaches you.) Greet B.	②名前を言って、総務部長のCへの面会を求めてください。 Give your name to A and ask to see C, general manager of the general affairs department.
③約束があるかどうか聞いてください。 Ask B if he has an appointment.	④4時に約束があると言ってください。 Tell A that you have a four o'clock appointment.
⑤相づちを打って、少し待つように言ってください。（内線電話でCに連絡した後で）Cは受付に来るので、もう少し待つように言ってください。 Make a response and ask B to wait a moment. After you contact C by telephone, tell B that C is on his way to the reception desk and to wait a little longer.	⑥お礼を言ってください。 Thank A.

受付　うけつけ　reception desk　　相づちを打つ　あいづちをうつ　make a response

第1課　紹介

2) 自己紹介 Introducing yourself

C：X社総務部長 (General manager of the general affairs department of X company)	B：Y社社員 (From Y company)
①（受付に来ました。Bが待っています。）待たせたことを謝ってください。 (You come to the reception desk. You see B waiting for you.) Apologize to B for having kept him waiting.	②自己紹介して、名刺を渡してください。 Introduce yourself and give C your business card.
③Bの名前を確認し、自己紹介して、名刺を渡してください。（そして、Bの名刺を見て）Y社は芝公園にあると確認してください。 Recognizing B's name, introduce yourself and give B your business card. Looking at his business card, ascertain that Y company is located at Shibakoen.	④ええと言って、東京タワーの近くだと言ってください。 Say yes and tell C it is near Tokyo Tower.

第1課　紹介

STAGE 3

1. 新しい職場で自己紹介する　Introducing yourself at a new office

A：総務部新入社員
今日から総務部で働くことになりました。自己紹介してください。そして、Bの質問に答えてください。

B：総務部社員
新入社員のAに自己紹介していろいろ質問してください。質問は自分で考えてください。そして、話を終えてください。

A：New employee of the general affairs department
You will start working in the general affairs department today. Introduce yourself to B. Answer B's questions.

B：From the general affairs department
Introduce yourself to A, a new employee, and ask various questions. (Think up your own questions.) Then finish the conversation.

2. 訪問先の受付で自己紹介する　Introducing yourself at a reception desk

A：X社受付
Bが受付に来ました。応対してください。

B：Y社社員
X社に来ました。受付で企画部長の田中さんへの面会を求めてください。2時に会う約束があります。

A：Receptionist at X company
B is at the reception desk. Help B.

B：From Y company
You are at X company. Tell A you want to see Mr. Tanaka, general manager of the planning department. You have a two o'clock appointment

---

職場　しょくば　workplace　　訪問先　ほうもんさき　place to visit　　応対する　おうたいする　help

第1課　紹介

3. 社外の人に自己紹介する　Introducing yourself to people from another company

A：X社社員

BがX社に来ました。Bは受付であなたを待っています。受付へ行き、自己紹介して、名刺を渡してください。そして、Bの名刺を見て、何か質問してください。質問は自分で考えてください。

A：From X company

B is at X company, and is waiting for you at the reception desk. Go to the desk, give your business card and introduce yourself. Looking at B's business card, ask questions. (Think up your own questions.)

B：Y社社員

X社に来ました。今、受付でAを待っています。Aが来たら、自己紹介して、名刺を渡してください。そして、Aの質問に答えてください。

B：From Y company

You are at X company and waiting for A at the reception desk. When A comes, give him your business card, introduce yourself and answer his questions.

STAGE 4

社 内

あなたのために歓迎会が行われることになりました。みんなの前で自己紹介をします。どんな自己紹介をしますか。どんな内容が適当か考えて、下に書いてください。

社 外

初めて会った人とは、まず、名刺交換をします。そして、簡単な雑談をしてから、大切なことを話します。雑談の話題はもらった名刺の中から見つけることもできます。名刺の中からどんな話題が見つけられるか考えてください。そして、下に書いてください。

歓迎会　かんげいかい　welcome party　　行う　おこなう　hold, have　　内容　ないよう　content
適当　てきとう　appropriate, suitable　　名刺交換　めいしこうかん　exchanging name cards
雑談　ざつだん　small talk　　話題　わだい　topic

第1課　　紹介

名刺

　日本のビジネス社会では、初めて会った時に、まず名刺を交換します。そのために、会社が社員に名刺を作って与えています。名刺を交換する時には、次のことに気をつけましょう。

　まず、相手の名刺は大切に扱わなければなりません。名刺を受け取った時は、名刺の端を持ち、相手の名前の上に指を置かないようにします。もちろん、汚したり折ったりしてはいけません。また、名刺を受け取ったら、必ず相手の名前を確認し、名刺に書いてあることについて、いくつか質問するといいでしょう。会社の場所や肩書きなどから話題を見つければ、スムーズに会話につなげることができるからです。

　このように、名刺を正しく上手に扱うことは、日本でのビジネスを成功させる第一歩となるでしょう。

Vocabulary

ビジネス社会	〜しゃかい	business world
与える	あたえる	give
扱う	あつかう	handle
受け取る	うけとる	receive
端	はし	edge
指	ゆび	finger
汚す	よごす	make dirty
折る	おる	fold
確認する	かくにんする	confirm
肩書き	かたがき	title
スムーズに		smoothly
〜につなげる		go on to 〜
成功する	せいこうする	be successful

第2課
Greetings
あいさつ

　仕事をスムーズに進めるためには、人間関係が大切です。そして良い関係を作るためには、まず、あいさつをすることから始めましょう。社内でも社外でも、人に会った時は自分からあいさつをするようにしましょう。

第2課　あいさつ

STAGE 1

社内

1. 出社した時のあいさつ　Arriving at work

CD 07

> A：おはようございます。
> B：おはようございます。
> A：きのうは①ごちそうさまでした。
> B：いいえ、どういたしまして。

練習1　1）①（きのういろいろ教えてもらいました。）ありがとうございました
　　　　2）①（きのう仕事を手伝ってもらいました。）本当に助かりました

練習2　A（同僚）：①朝のあいさつをしてください。
　　　　　　　　　③（きのう車で送ってもらいました。）きのうのお礼を言ってください。
　　　　B（同僚）：②朝のあいさつをしてください。
　　　　　　　　　④どういたしましてと言ってください。

(A and B are colleagues.)
A：① Say good morning to B.
　　③ (B drove you home last night.) Thank him for that.
B：② Say good morning to A.
　　④ Respond to his thanks.

2. 退社する時のあいさつ　Leaving work

CD 08

> A：まだ帰らないんですか。
> B：ええ、まだ①明日の会議の準備が終わらないんですよ。
> A：そうですか。大変ですね。では、お先に失礼します。
> B：お疲れさまでした。

---

p. 15　進める　すすめる　proceed, carry forward　　人間関係　にんげんかんけい　relationship
p. 16　出社する　しゅっしゃする　arrive at work　　助かる　たすかる　be helpful, be saved
　　　退社する　たいしゃする　leave work

第2課　あいさつ

練習1　1)　①資料の整理が終わらない
　　　　2)　①レポートが書き終わらない
練習2　A（同僚）：①まだ帰らないのか聞いてください。
　　　　　　　　　③相づちを打って、退社のあいさつをしてください。
　　　　B（同僚）：②まだアルファ薬品から連絡が来ないと言ってください。
　　　　　　　　　④あいさつをしてください。

（A and B are colleagues.）
A：①　Ask B if he is not leaving the office yet.
　　③　Make a response and excuse yourself for leaving the office.
B：②　Tell A that you are still waiting for Alpha Pharmaceuticals to contact you.
　　④　Respond to A.

3.　久しぶりに会った時のあいさつ　Meeting after a long time

A：リーさん、お久しぶりですね。
B：そうですね。どうですか、①最近。
A：ええ、②相変わらずですよ。

練習1　1)　①仕事のほうは　②まあまあですよ
　　　　2)　①その後　　　②まあ、何とか
練習2　A（同僚）：①久しぶりにBに会いました。あいさつをしてください。
　　　　　　　　　③相変わらず大変だと言ってください。
　　　　B（同僚）：②Aのあいさつに応対してください。そして、研修のほうはどうか聞いてください。

（A and B are colleagues.）
A：①　You meet B after a long time. Greet him.
　　③　Say you are trying hard as usual.
B：②　Respond to A and ask him about his training.

資料　しりょう　materials　　整理　せいり　putting in order　　書き終わる　かきおわる　finish writing
アルファ薬品　アルファやくひん　Alpha Pharmaceuticals (fictitious company)　　連絡　れんらく　contact
相変わらず　あいかわらず　as usual　　～のほう　side　　その後　そのご　after that
何とか　なんとか　somehow or other　　応対する　おうたいする　respond

第2課　あいさつ

▶ロールプレイ

1. A（同僚）：①朝のあいさつをしてください。
   ③（きのうごちそうしてもらいました。）きのうのお礼を言ってください。
   B（同僚）：②朝のあいさつをしてください。
   ④どういたしましてと言ってください。

   （A and B are colleagues.）
   A：① Say good morning to B.
   ③ (B treated you last night.) Thank him for that.
   B：② Say good morning to A.
   ④ Respond to his thanks.

2. A（同僚）：①まだ帰らないのか聞いてください。
   ③相づちを打って、退社のあいさつをしてください。
   B（同僚）：②まだ書類の作成が終わらないと言ってください。
   ④あいさつをしてください。

   （A and B are colleagues.）
   A：① Ask B if he is not leaving the office yet.
   ③ Make a response and excuse yourself for leaving the office.
   B：② Tell A that you haven't finished drawing up some documents.
   ④ Respond to A.

3. A（同僚）：①久しぶりにBに会いました。あいさつをしてください。
   ③何とか（うまくいっている）と言ってください。
   B（同僚）：②Aのあいさつに応対してください。そしてプロジェクトのほうはどうか聞いてください。

   （A and B are colleagues.）
   A：① You meet B after a long time. Say hello to him.
   ③ Say you are managing it somehow.
   B：② Respond to A and ask him about his project.

書類　しょるい　document　　作成　さくせい　make, draw up　　プロジェクト　project

第2課　あいさつ

社外

1. 再会した時のあいさつ　Saying hello

> A：どうもお待たせいたしました。
> B：いいえ。先日はどうもありがとうございました。
> A：いえ、こちらこそ。今日は①お忙しいところありがとうございます。

練習1　1)　①お休みの
　　　　2)　①遠い

練習2　A（X社社員）：①待たせたことを謝ってください。
　　　　　　　　　　　③暑い時に来てもらったことにお礼を言ってください。
　　　　B（Y社社員）：②先日のお礼を言ってください。

（A is from X company and B is from Y company.）
A：①　Apologize to B for having kept him waiting.
　　③　Thank B for coming on such a hot day.
B：②　Thank A for the other day.

2. 別れる時のあいさつ　Saying goodbye

> A：では、そういうことで。
> B：そうですね。それでは、そろそろ失礼いたします。
> A：今日は①お忙しいところありがとうございました。

練習1　1)　①お休みの
　　　　2)　①遠い

練習2　A（X社社員）：①話を切り上げてください。
　　　　　　　　　　　③暑い時に来てもらったことにお礼を言ってください。
　　　　B（Y社社員）：②そろそろ帰ると言ってください。

再会する　さいかいする　meet again　　先日　せんじつ　the other day　　ところ　when, time, moment　　別れる　わかれる　leave　　そういうことで　That's about it.　　そろそろ　soon　　切り上げる　きりあげる　finish

第2課　あいさつ

　　　　　　　　　　（A is from X company and B is from Y company.）
　　　　　　　　A：①　Finish the conversation.
　　　　　　　　　　③　Thank B for coming on such a hot day.
　　　　　　　　B：②　Tell A that it is time you left.

3. 久しぶりに会った時のあいさつ　Meeting after a long time

CD 12

A：ごぶさたしております。
B：いえ、こちらこそ。①お変わりありませんか。
A：②ええ、おかげさまで。

　　練習1　1）①その後、いかがですか
　　　　　　　　②ええ、おかげさまで、何とか
　　　　　　2）①その節は大変お世話になりました
　　　　　　　　②こちらこそ、いろいろお世話になりまして
　　練習2　A（X社社員）：①久しぶりにBに会いました。あいさつをしてください。
　　　　　　　　　　　　　③相変わらず厳しいと言ってください。
　　　　　　　B（Y社社員）：②Aのあいさつに応対してください。そして、その後どうか聞いてください。

　　（A is from X company and B is from Y company.）
　　A：①　You meet B after a long time. Say hello to him.
　　　　③　Say business is tough at the moment.
　　B：②　Respond to A and ask him how things are going.

▶ロールプレイ
　1.　A（X社社員）：①待たせたことを謝ってください。
　　　　　　　　　　③雨の日に来てもらったことにお礼を言ってください。
　　　　B（Y社社員）：②先日のお礼を言ってください。

　　（A is from X company and B is from Y company.）
　　A：①　Apologize to B for having kept him waiting.
　　　　③　Thank B for coming on such a rainy day.
　　B：②　Thank A for the other day.

ごぶさたしております　Long time no see.　　お変わりありませんか　おかわりありませんか　How are things?
おかげさまで　Thanks to you.　　その節　そのせつ　at that time　　厳しい　きびしい　tough

2. A（X社社員）：①話を切り上げてください。
　　　　　　　　　③寒い時に来てもらったことにお礼を言ってください。
　　B（Y社社員）：②そろそろ帰ると言ってください。

　　(A is from X company and B is from Y company.)
　　A：①　Finish the conversation.
　　　③　Thank B for coming on such a cold day.
　　B：②　Tell A that it is time you left.

3. A（X社社員）：①久しぶりにBに会いました。あいさつをしてください。
　　　　　　　　　③何とか（うまくいっている）と言ってください。
　　B（Y社社員）：②Aのあいさつに応対してください。そして、その後どうか聞いてください。

　　(A is from X company and B is from Y company.)
　　A：①　You meet B after a long time. Say hello to him.
　　　③　Say you are managing somehow.
　　B：②　Respond to A and ask him how things are going.

第2課　あいさつ

STAGE 2

社内

会話1　欠勤した翌日　Returning to work after an absence

A：部下
B：上司

1. CDを聴いて、質問に答えてください。
   1) どうして部下は上司に謝ったのですか。

2. もう一度CDを聴いてください。

3. 会話を完成してください。

   A：おはようございます。
   B：おはよう。大丈夫。
   A：はい、(①感謝する)_____、今日はずいぶんよくなりました。(②前日のことについて謝る)_____。
   B：いやあ、体の調子が悪い時はゆっくり休んだほうがいいよ。熱は下がった。
   A：はい。今朝はもう大丈夫です。ゆうべは39度ぐらいあったんですが。
   B：そうか。じゃ、大変だっただろう。今日も無理をしないほうがいいよ。
   A：はい、ありがとうございます。

4. もう一度CDを聴いて、自分の書いた表現と比べてください。

欠勤する　けっきんする　be absent from work　　翌日　よくじつ　next day　　上司　じょうし　superior
感謝する　かんしゃする　appreciate　　前日　ぜんじつ　the previous day　　体の調子　からだのちょうし
health condition　　無理をする　むりをする　overwork oneself

第2課　あいさつ

5. ロールプレイ

A：部下(ぶか) (Subordinate)	B：上司(じょうし) (Superior)
Aはきのう体(からだ)の調子(ちょうし)が悪(わる)かったので、会社(かいしゃ)を早退(そうたい)しました。 A left the office early yesterday because he was not very well.	
①朝(あさ)のあいさつをしてください。 Say good morning to B.	②朝(あさ)のあいさつをしてください。そして、大丈夫(だいじょうぶ)かどうか聞(き)いてください。 Say good morning to A and ask him if he is all right.
③感謝(かんしゃ)し、今日(きょう)はずいぶんよくなったと言(い)ってください。そして、きのうのことを謝(あやま)ってください。 Thank B and tell him that you are feeling much better today. Then apologize to him for leaving work early yesterday.	④体(からだ)の調子(ちょうし)が悪(わる)い時(とき)は、早(はや)く帰(かえ)って寝(ね)たほうがいいと言(い)ってください。そして、何(なに)か食(た)べられるようになったかどうか聞(き)いてください。 Tell A that people should go home early when they are not well. Ask him if he has been able to eat anything.
⑤今朝(けさ)はもう大丈夫(だいじょうぶ)だと言(い)ってください。しかし、ゆうべはほとんど食(た)べられなかったと言(い)ってください。 Tell B that you are all right this morning, but could hardly eat anything last night.	⑥今日(きょう)も無理(むり)をしないほうがいいと言(い)ってください。 Tell A not to work too hard today.
⑦お礼(れい)を言(い)ってください。 Thank B.	

早退する　そうたいする　leave early　　ずいぶん　much

第2課　あいさつ

CD 14　会話2　残業（ざんぎょう）　Working late
　A：同僚（どうりょう）
　B：同僚（どうりょう）　高橋（たかはし）

1. CDを聴（き）いて、質問（しつもん）に答（こた）えてください。
　1）どうして高橋（たかはし）さんは帰（かえ）らないのですか。

2. もう一度（いちど）CDを聴（き）いてください。

3. 会話（かいわ）を完成（かんせい）してください。
　男同士（おとこどうし）の会話（かいわ）
　A：高橋（たかはし）、まだ帰（かえ）らないの。
　B：うん、まだ明日（あす）の会議（かいぎ）の準備（じゅんび）が終（お）わらないんだよ。今日中（きょうじゅう）にこの資料（しりょう）をまとめなくちゃなんないんだ。
　A：これを全部（ぜんぶ）まとめるの。
　B：そうなんだよ。
　A：大変（たいへん）だな。頑張（がんば）れよ。（①退社（たいしゃ）のあいさつをする）_____。
　B：（②退社（たいしゃ）のあいさつをする）_____。

　参考（さんこう）　女同士（おんなどうし）の会話（かいわ）
　A：高橋（たかはし）さん、まだ帰（かえ）らないの。
　B：うん、まだ明日（あす）の会議（かいぎ）の準備（じゅんび）が終（お）わらないのよ。今日中（きょうじゅう）にこの資料（しりょう）をまとめなくちゃなんないの。
　A：これを全部（ぜんぶ）まとめるの。
　B：そうなのよ。
　A：大変（たいへん）ね。頑張（がんば）って。（①退社（たいしゃ）のあいさつをする）_____。
　B：（②退社（たいしゃ）のあいさつをする）_____。

4. もう一度（いちど）CDを聴（き）いて、自分（じぶん）の書（か）いた表現（ひょうげん）と比（くら）べてください。

男同士　おとこどうし　man to man　　今日中に　きょうじゅうに　during today　　まとめる　put in order
参考　さんこう　reference　　女同士　おんなどうし　woman to woman

第2課　あいさつ

5. ロールプレイ

A：同僚 (Colleague of B's)	B：同僚 (Colleague of A's)
①まだ帰らないのか聞いてください。 Ask B if he is not leaving the office yet.	②まだファイルの整理が終わらないと言ってください。そして今日中にこの部屋を片付けなければならないと言ってください。 Tell A that you have not finished filing documents yet. Then tell him that you must clear up the room today.
③今日中に全部片付けるのかと聞いてください。 Confirm that B will finish clearing up the room today.	④そうだと言ってください。 Make a response to A.
⑤励ましてから退社のあいさつをしてください。 Encourage B and excuse yourself for leaving the office.	⑥あいさつをしてください。 Respond to A.

ファイル　file　　片付ける　かたづける　clean up　　励ます　はげます　encourage

第2課　あいさつ

社外

会話　訪問客　Visitors
A：ベストコンピューター社員
B：ABCコンサルティング　斉藤

1. CDを聴いて、質問に答えてください。
   1) 斉藤さんは何でベストコンピューターに来ましたか。
   2) ベストコンピューターの場所がすぐわかりましたか。

2. もう一度CDを聴いてください。

3. 会話を完成してください。
   A：斉藤さん、（①待たせたことを謝る）_____。
   B：いいえ。（②先日のお礼を言う）_____。
   A：いえ、こちらこそ。（③来てもらったことにお礼を言う）_____
   _____。
   B：いえいえ。
   A：今日は車でいらっしゃったんですか。
   B：ええ、駐車場をお借りしました。
   A：ここはすぐおわかりになりましたか。この辺はちょっと道がわかりにくいですから。
   B：ええ、前に地図をいただいたので、すぐわかりました。うちの会社から20分ぐらいで着きましたよ。
   A：ああ、そうですか。結構近いんですね。それで、（④話を切り出す）_____、例の件のスケジュールを立ててみたんですが…。

4. もう一度CDを聴いて、自分の書いた表現と比べてください。

訪問客　ほうもんきゃく　visitor　　駐車場　ちゅうしゃじょう　parking lot　　この辺　このへん　this area
結構　けっこう　rather　　切り出す　きりだす　begin to～　　例の　れいの　that　　件　けん　matter
スケジュールを立てる　スケジュールをたてる　make a schedule

第2課　あいさつ

5. ロールプレイ

A：X社社員 （From X company）	B：Y社社員 （From Y company）
\multicolumn{2}{c}{BはX社を訪ねました。応接室でAを待っています。 B visits X company and waits for A in the reception room.}	

①待たせたことを謝ってください。 Apologize to B for having kept him waiting.	②先日のお礼を言ってください。 Thank A for the other day.
③雨の日に来てもらったことにお礼を言ってください。そして、車で来たのかどうか聞いてください。 Thank B for coming on such a rainy day. Ask him if he came by car.	④電車で来たと言ってください。 Tell A that you came by train.
⑤ここがすぐわかったかどうか聞いてください。ここは少し駅から遠いと言ってください。 Ask B if he had any trouble finding the building. Tell him that it is a little far from the station.	⑥きのうファックスで地図を送ってもらったので、すぐわかったと言ってください。 Tell A that you had no problem in finding the building because of the map sent by fax.
⑦相づちを打って、例の件の見積もりを出してみたと話を切り出してください。 Make a response and then begin to talk about the estimate you have been working on.	

応接室　おうせつしつ　reception room　　見積もりを出す　みつもりをだす　work on an estimate

第2課　あいさつ

STAGE 3

1. 出社時に同僚とあいさつをする　　Arriving at work

   A：同僚
   きのうの午後、熱を出したので、自分の仕事を同僚のBに頼んで早退しました。出社してBを見かけたので、あいさつをしてください。

   A : Colleague of B's
   You left the office early yesterday afternoon because you had a fever. You asked B to take over your job. This morning you see him when you come to work. Greet him.

   B：同僚
   きのうの午後、同僚のAは熱を出し、あなたに自分の仕事を頼んで早退しました。Aが出社してきてあいさつをするので、体の調子について聞いてください。

   B : Colleague of A's
   A left the office early yesterday afternoon because he had a fever. He asked you to take over his job. This morning he comes to work and greets you. Ask if he is all right.

2. 退社時に同僚とあいさつをする　　Leaving work

   A：同僚
   今から退社します。Bがまだ仕事をしているので声をかけてください。最後にあいさつをして帰ってください。

   A : Colleague of B's
   You are leaving the office now. Ask B if he isn't going home yet. Lastly, excuse yourself for leaving the office.

   B：同僚
   退社の時間になりましたが、仕事が残っているのでまだ帰ることができません。Aに声をかけられたらそう言ってください。仕事の内容は自分で考えてください。

   B : Colleague of A's
   It is time to leave the office but you can't because you still have work to do. When A asks you, tell him that you can't leave yet. (Think up the work you have to finish.)

出社時　しゅっしゃじ　when arriving at work　　熱を出す　ねつをだす　get a fever　　見かける　みかける　happen to see　　退社時　たいしゃじ　when leaving work　　声をかける　こえをかける　ask

第2課　あいさつ

3. 訪問客(ほうもんきゃく)とあいさつをする　Exchanging greetings with a customer

A：X社社員(しゃしゃいん)

合同会議(ごうどうかいぎ)の件(けん)でY社のBにX社へ来(き)てもらいました。Bは応接室(おうせつしつ)であなたを待(ま)っています。Bに会(あ)うのは久(ひさ)しぶりです。あいさつをして少(すこ)し雑談(ざつだん)をしたら、合同会議(ごうどうかいぎ)の話(はなし)を切(き)り出(だ)してください。

A：**From X company**
You have asked B from Y company to come to X company to discuss a joint meeting. B is waiting for you in the reception room. It has been a long time since you last met B. Greet him, catch up on news and then begin to talk about the joint meeting.

B：Y社社員(しゃしゃいん)

合同会議(ごうどうかいぎ)の件(けん)でX社を訪(たず)ねました。応接室(おうせつしつ)でAを待(ま)っています。Aに会(あ)うのは久(ひさ)しぶりです。Aが入(はい)ってきたら、あいさつをして少(すこ)し雑談(ざつだん)をしてください。

B：**From Y company**
You have visited X company to discuss a joint meeting. You are waiting for A in the reception room. It has been a long time since you last met A. When he comes in, greet him, and catch up on news.

合同会議　ごうどうかいぎ　joint meeting

第2課　あいさつ

STAGE 4

（社内）

　出社した時や退社する時の他に、どんな時にあいさつをしますか。その時に何と言いますか。下に書いてください。

（社外）

　重要な話に入る前には、簡単な雑談をします。初めて会った時は、名刺に書いてあることから話題を見つけることもできますが、前に会ったことがある人とは、どんな雑談をしたらいいでしょうか。下に書いてください。

重要な　じゅうような　important

あいさつの後で

　他の会社を訪問して担当者に会った時、初対面ならまず自己紹介をしますが、初対面でなければ、「先日はどうも」というようなあいさつをします。その後ですぐに用件に入っては事務的な印象を与えてしまうので、その前に簡単な雑談をすることが多いようです。
　それでは、どんな話題を選んだらいいのでしょうか。まず考えられるのは天気の話です。季節によって、「ずいぶん暖かくなりましたね」とか、「すっかり涼しくなりましたね」などというように話を始めることができます。それから最近のニュースについて話すこともできます。主なニュースを新聞やテレビでチェックしておくと、このような時に役に立つでしょう。また相手のことをよく知っている場合は、相手の家族や趣味などについての話もできるでしょう。このように、雑談の話題はいろいろなところから見つけることができます。その場に合った話題を上手に見つけて話をすれば、和やかな雰囲気を作ることができ、大切な用件へとスムーズに話を進めていくことができるのです。

Vocabulary

担当者	たんとうしゃ	person in charge
初対面	しょたいめん	meeting for the first time
用件	ようけん	business
事務的	じむてき	businesslike
印象	いんしょう	impression
季節	きせつ	season
～によって		depending on ~
すっかり		completely
主な	おもな	main
その場	そのば	that situation
合う	あう	suit
和やかな	なごやかな	friendly
雰囲気	ふんいき	atmosphere
進める	すすめる	go on

第3課
Permission
許可

　休みを取りたい時は、できるだけ早く上司に話して許可をもらいましょう。また仕事が終わらなくて残業しなければならない時も、必ず上司に許可をもらわなければなりません。

第3課　許可

STAGE 1

（社 内）

1. 意向を尋ねて許可を求める　Asking for permission

(1) 許可する　Giving permission

CD 16
> A：ちょっとこの①OHP、②使ってもいいですか。
> B：ええ、いいですよ。
> A：じゃ、ちょっと③使わせてもらいますね。

練習1　1)　①書類　②見(て)　③見さ(せて)
　　　　2)　①荷物　②ここに置い(て)　③置か(せて)
練習2　A（同僚）：①Bの辞書を使いたいです。意向を尋ねて許可を求めて
　　　　　　　　　ください。
　　　　　　　　　③許可をもらったことの確認をしてください。
　　　　B（同僚）：②許可してください。

（A and B are colleagues.）
A：① You want to use B's dictionary. Ask him for permission.
　　③ Confirm you have B's permission.
B：② Give A permission.

(2) 許可しない　Refusing permission

CD 17
> A：ちょっとこの①OHP、②使ってもいいですか。
> B：すみません。今、③使うところなんですよ。
> A：ああ、そうですか。じゃ、いいです。

練習1　1)　①電卓　②使っ(て)　③使っている
　　　　2)　①ファイル　②持っていっ(て)　③整理している
練習2　A（同僚）：①Bの辞書を使いたいです。意向を尋ねて許可を求めて
　　　　　　　　　ください。

意向　いこう　convenience　　尋ねる　たずねる　ask　　電卓　でんたく　pocket (desk) calculator

第3課　許可

　　　　　　　　　③了解してください。
B（同僚）：②今、使うので許可しないでください。

(A and B are colleagues.)
A：①　You want to use B's dictionary. Ask him for permission.
　　③　Accept B's refusal.
B：②　Refuse A permission explaining that you are going to use it now.

2. 可能性を尋ねて許可を求める　Asking for permission

(1) 許可する　Giving permission

CD 18

> A：すみません。今日の午後、①第一会議室②使えますか。
> B：ええ、大丈夫ですよ。
> A：じゃ、2時ごろから③使います。

練習1　1)　①社用トラック　②借りられます　③借ります
　　　　2)　①OHP　　　　　②使えます　　　③使います

練習2　A（同僚）：①会議室の使用時間を2時からに変更したいです。Bに
　　　　　　　　　可能性を尋ねて許可を求めてください。
　　　　　　　　　③許可をもらったことの確認をしてください。
　　　　B（総務部同僚）：②許可してください。

(A and B are colleagues. B is a member of the general affairs department.)
A：①　You want to change the time you will use the meeting room to two o'clock. Ask B for permission.
　　③　Confirm you have B's permission.
B：②　Give A permission.

了解する　りょうかいする　agree　　社用トラック　しゃようトラック　company truck　　使用時間　しようじかん　time of use　　変更する　へんこうする　change

第3課　許可

(2) 許可しない　Refusing permission

> A：すみません。今日の午後、①第一会議室②使えますか。
> B：それが、もう予約が入っているんですよ。
> A：そうですか。わかりました。

練習1　1)　①社用トラック　②借りられます
　　　　2)　①OHP　　　　②使えます

練習2　A（同僚）：①会議室の使用時間を2時からに変更したいです。Bに可能性を尋ねて許可を求めてください。
　　　　　　　　　③了解してください。
　　　　B（総務部同僚）：②2時からは予約が入っているので、許可しないでください。

(A and B are colleagues. B is a member of the general affairs department.)
A：①　You want to change the time you will use the meeting room to two o'clock. Ask B for permission.
　　③　Accept B's refusal.
B：②　Refuse A permission explaining that it has already been booked for two o'clock.

▶ロールプレイ

1.　A（同僚）：①Bの机の上に荷物を置きたいです。意向を尋ねて許可を求めてください。
　　　　　　　③了解してください。
　　B（同僚）：②今、机の上で書類の整理をするので、許可しないでください。

(A and B are colleagues.)
A：①　You want to put your things on B's desk. Ask him for permission.
　　③　Accept B's refusal.
B：②　Refuse A permission explaining that you are going to use your desk for putting documents in order.

予約が入る　よやくがはいる　be booked

第3課　許可

2. A（同僚）：①今度の金曜日に会社の車を使いたいです。可能性を尋ねて許可を求めてください。
　　　　　　　③了解してください。
　 B（総務部同僚）：②今度の金曜日は予約が入っているので、許可しないでください。

　　(A and B are colleagues. B is a member of the general affairs department.)
　　A：①　You want to use the company car this Friday. Ask B for permission.
　　　 ③　Accept B's refusal.
　　B：②　Refuse A permission explaining that it has already been booked for this Friday.

3. A（同僚）：①Bの資料をコピーしたいです。意向を尋ねて許可を求めてください。
　　　　　　　③許可されたことの確認をしてください。
　 B（同僚）：②許可してください。

　　(A and B are colleagues.)
　　A：①　You want to make a photocopy of B's materials. Ask him for permission.
　　　 ③　Confirm you have B's permission.
　　B：②　Give A permission.

4. A（同僚）：①明日まで会社のワープロを借りたいです。可能性を尋ねて許可を求めてください。
　　　　　　　③許可されたことの確認をしてください。
　 B（総務部同僚）：②許可してください。

　　(A and B are colleagues. B is a member of the general affairs department.)
　　A：①　You want to borrow an office word processor until tomorrow. Ask B for permission.
　　　 ③　Confirm you have B's permission.
　　B：②　Give A permission.

第3課　許可

社外

1. 意向を尋ねて許可を求める　Asking for permission

(1) 許可する　Giving permission

> A：①明日伺ってもよろしいでしょうか。
> B：ええ、どうぞ。
> A：では、そうさせていただきます。

練習1　1)　①明日の朝、お電話さしあげ（て）
　　　　2)　①専務に直接ご連絡し（て）

練習2　A（X社社員）：①Y社の社長に直接話したいです。意向を尋ねて許可を求めてください。
　　　　　　　　　　　③許可をもらったことの確認をしてください。
　　　　B（Y社社員）：②許可してください。

（A is from X company and B is from Y company.）
A：①　You want to talk directly to the president of Y company. Ask B for permission.
　　③　Confirm you have B's permission.
B：②　Give A permission.

(2) 許可しない　Refusing permission

> A：①明日伺ってもよろしいでしょうか。
> B：申し訳ございませんが、②明日は外に出ておりまして…。
> A：ああ、そうですか。

練習1　1)　①明日の朝、お電話さしあげ（て）
　　　　　　②明日は午後からの出社でし（て）
　　　　2)　①専務に直接ご連絡し（て）
　　　　　　②必ず担当者を通すことになっておりまし（て）

専務　せんむ　senior managing director　　　直接　ちょくせつ　directly　　　通す　とおす　go though

第3課　許可

練習2　A（X社社員）：①Y社の社長に直接話したいです。意向を尋ねて許可を求めてください。
　　　　　　　　　　　　　③相づちを打ってください。
　　　　　　B（Y社社員）：②必ず担当者を通すことになっているので、許可しないでください。

(A is from X company and B is from Y company.)
A：① You want to talk directly to the president of Y company. Ask B for permission.
　　③ Make a response to B.
B：② Refuse A permission explaining that it is company policy that customers always go through the person in charge.

▶ロールプレイ

1. A（X社社員）：①（Y社の工場にいます。閉まっているドアの前に来ました。）中を見たいので、意向を尋ねて許可を求めてください。
　　　　　　　　　　③相づちを打ってください。
　　B（Y社社員）：②立入禁止なので、許可しないでください。

(A is from X company and B is from Y company.)
A：① You are touring Y company's factory. You have come to a room whose door is closed. You want to see inside the room. Ask B for permission.
　　③ Respond to B's answer.
B：② Refuse A permission explaining that it is a restricted area.

2. A（X社社員）：①Bが持ってきた商品のサンプルを次回の打ち合わせまで借りたいです。意向を尋ねて許可を求めてください。
　　　　　　　　　　③許可をもらったことの確認をしてください。
　　B（Y社社員）：②許可してください。

(A is from X company and B is from Y company.)
A：① You want to keep the sample B has brought until the next meeting. Ask B for permission.
　　③ Confirm you have B's permission.
B：② Give A permission.

立入禁止　たちいりきんし　No admittance.　　商品　しょうひん　goods　　サンプル　sample　　次回　じかい　next time　　打ち合わせ　うちあわせ　meeting

第3課　許可

STAGE 2

（社 内）

会話1　休暇の許可願い　Asking for permission to take time off work
CD 22

A：部下　マルタン
B：部長

1. CDを聴いて、質問に答えてください。
   1) マルタンさんは部長にどんな許可を求めましたか。
   2) 許可されましたか。

2. もう一度CDを聴いてください。

3. 会話を完成してください。

   A：部長、(①都合を聞く)＿＿＿＿＿＿＿＿＿＿。
   B：うん、何。
   A：(②話を切り出す)＿＿＿＿＿、来週、国から両親が来ることになったんです。それで、月曜日、休暇を(③上司の意向を尋ねて許可を求める)＿＿＿＿＿＿＿＿＿＿＿＿＿＿＿。
   B：月曜か…。月曜(④許可しない)＿＿＿＿＿＿…。
   A：無理ですか。
   B：(⑤話を切り出す)＿＿＿＿＿、月曜にフランス人のお客さんが来るんだよ。それで、マルタンさんに通訳を頼もうと思っていたんだけどなあ。
   A：ああ、そうですか。
   B：その方は英語がよくわからないそうでね。困ったなあ。まあ、この件は(⑥許可を保留する)＿＿＿＿＿＿＿。
   A：すみません。お願いします。

4. もう一度CDを聴いて、自分の書いた表現と比べてください。

許可願い　きょかねがい　asking for permission　　都合　つごう　convenience　　通訳　つうやく　interpreter
頼む　たのむ　ask　　保留する　ほりゅうする　suspend

5. ロールプレイ

A：部下 (Subordinate)	B：部長 (Superior)
①今、Bに話したいことがあります。都合を聞いてください。 You want to talk to B now. Ask him if he has time.	②今、時間があります。どんな用件か聞いてください。 You have time. Ask A what he wants to talk about.
③もう少し日本語を勉強したいので、10月から火曜日と木曜日の午前中、日本語学校に行く許可を求めてください。 You want to study Japanese a little more and go to a Japanese language school on Tuesday and Thursday mornings from October. Ask B for permission.	④10月からは、と許可しないでください。 Don't give A permission to have time off for Japanese lessons.
⑤無理かと聞いてください。 Ask B if it is impossible.	⑥松田さんと山崎さんが9月で会社をやめるので、10月から忙しくなると言ってください。 Tell A that the company will be busy from October because Mr. Matsuda and Mr. Yamazaki are going to leave in September.
⑦相づちを打ってください。 Make a response to B.	
⑨もう一度お願いしてください。 Say you would appreciate B considering it.	⑧新しい人は当分入らないと言ってください。そして、許可を保留してください。 Tell A that there will be no new employees for a while. Say you will have to think about it.

用件　ようけん　business　　当分　とうぶん　for a while

第3課　許可

CD 23　会話2　物の貸し借り　Borrowing and lending
　　A：同僚
　　B：同僚

1. CDを聴いて、質問に答えてください。
   1) どんな許可を求めましたか。
   2) 許可されましたか。

2. もう一度CDを聴いてください。

3. 会話を完成してください。
   A：ちょっとこのコンピューター、(①同僚の意向を尋ねて許可を求める)_____。
   B：(②許可しない)_____。
   A：そうか。(③あきらめる)_____。
   B：ワープロでよかったら貸すけど。
   A：ああ、そう。じゃ、ちょっと貸して。

4. もう一度CDを聴いて、自分の書いた表現と比べてください。

貸し借り　かしかり　borrowing and lending　　あきらめる　give up

第 3 課　許可

5. ロールプレイ

A：同僚 (Colleague of B's)	B：同僚 (Colleague of A's)
①Bの電子辞書を借りたいです。許可を求めてください。 You want to use B's electronic dictionary. Ask B for permission.	②今、高橋さんに貸すところだと言ってください。 Tell A that you are going to lend it to Mr. Takahashi now.
③あきらめてください。 Give up the idea of using it.	④後でよかったら貸すと言ってください。 Tell A that he can use it later if he would like.
⑤後で貸してと言ってください。 Ask B to lend it to you later.	

電子辞書　でんしじしょ　electronic dictionary

第3課　許可

社外

CD 24　会話　訪問　Company visit
　　A：X社社員
　　B：Y社社員

1. CDを聴いて、質問に答えてください。
   1) どんな許可を求めましたか。
   2) 許可されましたか。

2. もう一度CDを聴いてください。

3. 会話を完成してください。

　　A：それでは、(①別れのあいさつをする)_____。また来週の月曜日、(②意向を尋ねて許可を求める)_____。
　　B：ええ、午後(③条件付きで許可する)_____。
　　A：そうですか。では、また2時ごろ伺います。
　　B：そうそう、その時、商品のサンプルを持ってきていただけませんか。
　　A：承知いたしました。
　　B：よろしくお願いいたします。(④来てもらったことにお礼を言う)_____。

4. もう一度CDを聴いて、自分の書いた表現と比べてください。

別れ　わかれ　leaving　　条件付き　じょうけんつき　on the condition that　　そうそう　That reminds me.
承知いたしました　しょうちいたしました　Certainly.

5. ロールプレイ

A：X社社員 (From X company)	B：Y社社員 (From Y company)
Y社は応接室のリフォームを考えています。そこで、X社のAに来てもらいました。Aは帰るところです。 Y company is planning to renovate its reception room and has asked A of X company to visit. A is leaving now.	
①別れのあいさつをしてください。そして、写真をしばらく借りる許可を求めてください。 Say goodbye to B. Then ask her for permission to borrow some photographs for a while.	
	②1、2週間という条件付きで許可してください。 Give A permission on the condition that he return them after a couple of weeks.
③この次に来る時に持ってくると言ってください。 Tell B that you will bring them back when you come next.	
	④この次に来る時に応接セットのカタログを見せてもらいたいと言ってください。 Tell A that you want to see a furniture brochure when he comes next time.
⑤依頼を受けてください。 Agree to B's request.	
	⑥今日、来てもらったことにお礼を言ってください。 Thank A for coming today.

リフォーム renovation　しばらく for some time　応接セット おうせつセット reception room furniture set
カタログ catalogue　依頼 いらい request　受ける うける accept, agree

第3課　許可

STAGE 3

1. 早退(そうたい)の許可(きょか)を求(もと)める　Asking for permission to leave early

   A：部下(ぶか)
   今週(こんしゅう)の金曜日(きんようび)、4時(じ)に早退(そうたい)したいと思(おも)っています。早退(そうたい)の理由(りゆう)は自分(じぶん)で考(かんが)えて、B部長(ぶちょう)に許可(きょか)を求(もと)めてください。

   A：Subordinate
   You want to leave the office at four o'clock this Friday. Think up your own reasons why, and ask B, your general manager, for permission.

   B：部長(ぶちょう)
   部下(ぶか)Aに早退(そうたい)の許可(きょか)を求(もと)められます。理由(りゆう)を聞(き)いて、許可(きょか)するかどうか決(き)め、返事(へんじ)をしてください。

   B：Superior
   A asks you for permission to leave the office early on Friday. Ask him the reasons and give him an answer after deciding whether you can give him permission or not.

2. 物(もの)を借(か)りる許可(きょか)を求(もと)める　Asking for permission to borrow something

   A：同僚(どうりょう)
   Bの机(つくえ)の上(うえ)にある物(もの)を借(か)りる許可(きょか)を求(もと)めてください。

   A：Colleague of B's
   You want to borrow something from B's desk. Ask him for permission.

   B：同僚(どうりょう)
   Aにあなたの机(つくえ)の上(うえ)にある物(もの)を借(か)りる許可(きょか)を求(もと)められます。許可(きょか)しないでください。理由(りゆう)は自分(じぶん)で考(かんが)えてください。

   B：Colleague of A's
   A asks you to lend him something from your desk. Don't give him permission. Think up your own reasons.

理由　りゆう　reason　　返事　へんじ　response, reply

第3課　許可

3. **訪問の許可を求める**　Asking for permission to visit

A：X社社員
自社の新商品のことでBに呼ばれてY社を訪問しました。今から帰るところです。来週またY社を訪問したいので、Bに許可を求めてください。

A：From X company
You have visited Y company to explain your company's new product. You are leaving now. You want to come again next week. Ask B for permission.

B：Y社社員
X社の新商品のことでAに自社に来てもらいました。Aは今から帰るところです。来週また訪問する許可を求められるので、許可するかどうか決め、返事をしてください。

B：From Y company
You have asked A to visit your company to have him explain his company's new product. He is leaving now. You are asked if he can come again next week. Give him an answer after deciding whether it is convenient or not.

STAGE 4

社内

あなたは上司や同僚に許可を求めたことがありますか。もしあったら、その時何と言って許可を求めましたか。また許可されなかった場合、何と言って断られましたか。下に書いてください。

社外

あなたは社外の人に許可を求めたことがありますか。もしあったら、その時何と言って許可を求めましたか。また許可されなかった場合、何と言って断られましたか。下に書いてください。

自社　じしゃ　our company　　断る　ことわる　decline

第3課　　許可

休暇（きゅうか）

　日本の企業では、年末年始、夏季休暇などのほかに、年に10日間から20日間ぐらいの有給休暇があります。他の国ではどうでしょうか。例えば知人のアメリカ人（30歳）は、今年14日間の休暇と10日間の病気休暇をもらっているそうです。休暇の日数では日本とだいたい同じのようです。

　しかし、日本では、多くの有給休暇を使わないで残してしまっている人も多いようです。それは、一つには、日本では職場の和が大切にされているからでしょう。自分が休む場合も、まず他の人のことを考えて、迷惑がかからない時に休暇を取るようにするので、休暇を取るチャンスを失う人も多いのです。また、仕事が忙しくて休暇が取れないこともよくあります。

　以前は、一般に、休暇は権利ではなく許可をもらって会社からいただくものだと考えられていたようです。しかし、最近では、このように考える人は非常に少なくなってきています。

Vocabulary

企業	きぎょう	enterprise
年末年始	ねんまつねんし	end of the year and New Year
有給休暇	ゆうきゅうきゅうか	paid holiday
知人	ちじん	acquaintance
病気休暇	びょうききゅうか	sick leave
日数	にっすう	the number of days
残す	のこす	leave
職場の和	しょくばのわ	office unity, office harmony
迷惑がかかる	めいわくがかかる	be troublesome, be annoyed
失う	うしなう	lose

第4課
Requests
依頼（いらい）

　依頼（いらい）する時（とき）は、頼（たの）む相手（あいて）と内容（ないよう）を考（かんが）えて、言葉（ことば）を選（えら）ばなければなりません。上司（じょうし）や社外（しゃがい）の人（ひと）に対（たい）しては、いつも丁寧（ていねい）な表現（ひょうげん）を使（つか）いますが、同僚（どうりょう）に対（たい）しても、大変（たいへん）な仕事（しごと）を依頼（いらい）する時（とき）には、丁寧（ていねい）な表現（ひょうげん）を使（つか）ったほうがいいでしょう。

第4課　依頼

STAGE 1

（社内）

1. 依頼する　Making a request

(1) 受ける　Agreeing

CD 25

A：ちょっと①これをアジア銀行へ届けてもらえませんか。
B：はい、わかりました。

練習1　1)　①このデータをグラフにし（て）
　　　　2)　①在庫のチェックをやっ（て）
　　　　3)　①計算を手伝っ（て）

練習2　A（同僚）：明日の会議の資料をそろえてもらいたいと頼んでください。
　　　　B（同僚）：依頼を受けてください。

(A and B are colleagues.)
A: Ask B to prepare material for tomorrow's meeting.
B: Agree to A's request.

(2) 断る　Declining

CD 26

A：ちょっと①これをアジア銀行へ届けてもらえませんか。
B：すみません。②この仕事、急ぎなんです。

練習1　1)　①このデータをグラフにし（て）
　　　　　　②この仕事、まだ終わりそうもない
　　　　2)　①在庫のチェックをやっ（て）
　　　　　　②この仕事、時間がかかりそうな

---

p. 49　相手　あいて　partner in conversation　　～に対して　～にたいして　to　　丁寧な　ていねいな　polite
p. 50　データ　data　　グラフ　graph　　在庫　ざいこ　stock　　チェック　check　　計算　けいさん　calculation　　そろえる　prepare　　急ぎ　いそぎ　urgent

第4課　依頼

　　　　　3)　①計算を手伝っ（て）
　　　　　　　②ちょっと手が離せない
練習2　A（同僚）：明日の会議の資料をそろえてもらいたいと頼んでください。
　　　　　B（同僚）：今やっている仕事があと1時間くらいかかりそうなので、断ってください。

(A and B are colleagues.)
A: Ask B to prepare material for tomorrow's meeting.
B: Decline A's request explaining that it will take you another hour to finish the work you are now engaged in.

▶ロールプレイ

1. A（同僚）：OHPを持ってきてもらいたいと頼んでください。
   B（同僚）：依頼を受けてください。

   (A and B are colleagues.)
   A: Ask B to bring you an OHP.
   B: Agree to A's request.

2. A（同僚）：（急に取引先に打ち合わせに行くことになりました。）今やっている仕事を代わってもらいたいと頼んでください。
   B（同僚）：手が離せないので、断ってください。

   (A and B are colleagues.)
   A: You suddenly have to go out to a client's for a meeting. Ask B to take over the work you are now engaged in.
   B: Decline A's request explaining that you are busy.

手が離せない　てがはなせない　hands are full　　取引先　とりひきさき　client

第4課　依頼

社 外

1. 依頼する　Making a request

(1) 受ける　Agreeing

CD 27

A：できましたら、①この製品を使ってみていただきたいんですが。
B：そうですね。じゃあ、②使ってみましょう。

練習1　1)　①この商品を購入し（て）　②購入し（ましょう）
　　　　2)　①販売契約の件を検討し（て）　②検討してみ（ましょう）
　　　　3)　①今回のプロジェクトを引き受け（て）　②やり（ましょう）

練習2　A（X社社員）：自社の新製品を購入してもらいたいと頼んでください。
　　　　B（Y社社員）：依頼を受けてください。

(A is from X company and B is from Y company.)
A: Ask B to buy new products from X company.
B: Agree to A's request.

(2) 断る　Declining

CD 28

A：できましたら、①この製品を使ってみていただきたいんですが。
B：申し訳ございませんが、それはちょっと…。

練習1　1)　①この商品を購入し（て）
　　　　2)　①販売契約の件を検討し（て）
　　　　3)　①今回のプロジェクトを引き受け（て）

練習2　A（X社社員）：自社の新製品を買ってもらいたいと頼んでください。
　　　　B（Y社社員）：断ってください。

(A is from X company and B is from Y company.)
A: Ask B to buy new products from X company.
B: Decline A's request.

製品　せいひん　product　　購入する　こうにゅうする　purchase, buy　　契約　けいやく　contract
検討する　けんとうする　examine　　引き受ける　ひきうける　undertake

第4課　依頼

2. 強く依頼する　Making a strong request

(1) 受ける　Agreeing

CD 29

A：今回の件で、①専務と一度お話ししたいんですが、何とかお願いできませんか。
B：承知いたしました。

練習1　1)　①社長に直接ご説明し（たい）
　　　　2)　①ぜひ工場を見学し（たい）
　　　　3)　①常務に紹介していただき（たい）

練習2　A（X社社員）：今回の件で、ベストコンピューターのチャン部長への紹介を強く頼んでください。
　　　　B（Y社社員）：依頼を受けてください。

(A is from X company and B is from Y company.)
A: Urge B to introduce you to Mr. Chang, general manager of Best Computers.
B: Agree to A's request.

(2) 断る　Declining

CD 30

A：今回の件で、①専務と一度お話ししたいんですが、何とかお願いできませんか。
B：申し訳ございませんが、それはちょっと難しいですね。

練習1　1)　①社長に直接ご説明し（たい）
　　　　2)　①ぜひ工場を見学し（たい）
　　　　3)　①常務に紹介していただき（たい）

練習2　A（X社社員）：今回の件で、ベストコンピューターのチャン部長への紹介を強く頼んでください。
　　　　B（Y社社員）：断ってください。

(A is from X company and B is from Y company.)
A: Urge B to introduce you to Mr. Chang, general manager of Best Computers.
B: Decline A's request.

常務　じょうむ　managing director

第4課　依頼

▶ロールプレイ

1. A（X社社員）：ABCコンサルティングの吉田社長への紹介を強く頼んでください。
   B（Y社社員）：依頼を受けてください。

   (A is from X company and B is from Y company.)
   A: Urge B to introduce you to Mr. Yoshida, president of ABC Consulting.
   B: Agree to A's request.

2. A（X社社員）：価格を10%下げてもらいたいと頼んでください。
   B（Y社社員）：断ってください。

   (A is from X company and B is from Y company.)
   A: Ask B to reduce the price by 10%.
   B: Decline A's request.

3. A（X社社員）：契約内容について、社長に直接説明したいと強く頼んでください。
   B（Y社社員）：断ってください。

   (A is from X company and B is from Y company.)
   A: Urge B to let you talk directly to the president about the contract.
   B: Decline A's request.

4. A（X社社員）：打ち合わせをしたいので、自社に来てもらいたいと頼んでください。
   B（Y社社員）：依頼を受けてください。

   (A is from X company and B is from Y company.)
   A: Ask B to come to X company for a meeting.
   B: Agree to A's request.

価格　かかく　price　　下げる　さげる　bring down

第4課　依頼

STAGE 2

（社内）

会話1　上司に頼む　Making a request to a superior
CD 31
　A：部下
　B：主任

1. CDを聴いて、質問に答えてください。
   1) 主任に何を依頼しましたか。
   2) 主任は依頼を受けましたか。

2. もう一度CDを聴いてください。

3. 会話を完成してください。
   A：主任、今、（①都合を聞く）_____。
   B：うん。何。
   A：実は、今回のグッドシステムとの共同事業の件なんですが、規模が大きいので、わたし一人では決定が難しいんです。
   B：確かにかなり大きいねえ。
   A：それで、主任にチーフを（②上司に依頼する）_____。主任の指示で動きたいんですが…。
   B：そうか。わかった。
   A：ありがとうございます。助かります。（③話を切り上げる）_____
   よろしくお願いします。

4. もう一度CDを聴いて、自分の書いた表現と比べてください。

主任　しゅにん　supervisor　　共同　きょうどう　joint　　事業　じぎょう　business　　規模　きぼ　scale
決定　けってい　decision　　かなり　very　　指示　しじ　directions

第4課　依頼

5. ロールプレイ

A：部下（Subordinate）	B：課長（Section manager）
①Bの都合を聞いてください。 Ask B if he is free now.	②いいと言って、用件を聞いてください。 Tell A that you are free now and ask him what he wants.
③新製品の開発のプロジェクトの件で、技術部とのコミュニケーションがうまくいかないと言ってください。 Tell B that you are having difficulty communicating with the technical department about the new product development project.	④相づちを打ってください。 Respond to A.
⑤課長に技術部長への根回しを頼んでください。 Ask B to do the groundwork with the general manager of the technical department.	⑥引き受けてください。 Agree to A's request.
⑦お礼を言って、話を切り上げてください。 Thank B, and finish the conversation.	

技術部　ぎじゅつぶ　technology department　　コミュニケーション　communication　　根回し　ねまわし　groundwork

会話2　ワープロ打ちを強く頼む　Asking for something to be typed

　　A：同僚
　　B：同僚　渡辺

1. CDを聴いて、質問に答えてください。
   1) 渡辺さんは仕事を引き受けましたか。

2. もう一度CDを聴いてください。

3. 会話を完成してください。
   A：ねえ、渡辺さん。ちょっとこの資料、急ぐんだけど…。(①言いにくいことを切り出す)_____、4時までにワープロ打ち、(②依頼する)_____。
   B：えっ、今日の4時まで。
   A：だって、課長が4時までに用意しろって言うんだよ。
   B：でも、部長にこの企画書を今日中にやってくれって言われているし…。
   A：(③強く依頼する)_____。
   B：そうねえ…。
   A：この資料が間に合わないと、話が進められないんだよ。(④お願いする)_____。
   B：そう。じゃあ、(⑤しかたなく受ける)_____。
   A：ありがとう。

4. もう一度CDを聴いて、自分の書いた表現と比べてください。

ワープロ打ち　ワープロうち　word processing　　用意する　よういする　prepare　　企画書　きかくしょ　project report　　しかたなく　unwillingly

第4課　依頼

5. ロールプレイ

A：同僚 (Colleague of B's)	B：同僚 (Colleague of A's)
①この資料は急ぐので、今すぐ第一工業に届けるように依頼してください。 Because it is urgent, ask B to deliver data to Daiichi Industrials straightaway.	②今すぐかと確認してください。 Ask A if you have to deliver it right now.
③第一工業がすぐに持ってくるように言っていると言ってください。 Tell B that they called asking for it to be brought immediately.	④主任に今日中に伝票を全部まとめるように言われたと言ってください。 Tell A that you have been told by your supervisor to file all the payment slips today.
⑤強く依頼してください。 Press B to deliver the data.	⑥考えてください。 Think about it.
⑦大切な得意先だと言ってお願いしてください。 Press B further, saying that Daiichi Industrials is a very important client.	⑧しかたなく引き受けてください。 Agree to A's request, acknowledging that you have no choice.
⑨お礼を言ってください。 Thank B.	

伝票　でんぴょう　slip　　得意先　とくいさき　important (best) customer

第4課　依頼

社外

会話　見本市への出品を頼む　Asking someone to take part in a trade fair
CD 33

A：ベストコンピューター社員
B：グッドシステム社員

1. CDを聴いて、質問に答えてください。
   1) グッドシステムは見本市に出品しますか。
   2) グッドシステムは説明会に出席しますか。

2. もう一度 CD を聴いてください。

3. 会話を完成してください。

   A：＿＿＿（①話を切り出す）＿＿＿、グッドシステムさんに一つお願いがあるんですが。
   B：何でしょうか。
   A：実は、今回当社が中心となって、2月に新型製品の見本市を開催することになりまして。
   B：そうですか。
   A：それで、＿＿＿（②丁寧に依頼する）＿＿＿。
   B：申し訳ございませんが、現在当社にはそういう計画がありませんので。
   A：そうですか。でも、見本市は市場の拡大に非常に効果がありますし、説明会だけでも（③控え目に依頼する）＿＿＿＿＿＿＿＿＿＿＿＿＿＿。
   B：そうですねえ。
   A：創立30周年を記念した見本市なんです。（④強く依頼する）＿＿＿＿＿＿＿。
   B：わかりました。じゃあ、説明会に伺うことにしましょう。
   A：ありがとうございます。

4. もう一度 CD を聴いて、自分の書いた表現と比べてください。

見本市　みほんいち　trade fair　　出品　しゅっぴん　exhibit　　説明会　せつめいかい　explanatory meeting　　当社　とうしゃ　our company　　開催する　かいさいする　hold　　計画　けいかく　plan　　拡大　かくだい　expansion　　効果　こうか　effect　　控え目に　ひかえめに　moderately　　創立30周年　そうりつ30しゅうねん　30th anniversary　　記念した　きねんした　commemorative

第4課　依頼

5. ロールプレイ

A：X社社員 (From X company)	B：Y社社員 (From Y company)
①一つ頼みたいことがあると話を切り出してください。 Tell B that you have something to ask him.	②何かと聞いてください。 Ask A what it is.
③自社から今度病院用ベッドを売り出すことになったので、Y社と親しい中央病院の院長を紹介してもらいたいと丁寧に頼んでください。 Tell B that X company is soon going to start selling beds designed for hospital use. Ask B to introduce you to the director of Chuo Hospital, whom he knows very well.	④最近中央病院とは取引が減ってきていると断りの理由を言ってください。 Tell A that you have to decline his request because your company has been dealing less and less with Chuo Hospital recently.
⑤電話だけでも入れてもらいたいと控え目に頼んでください。 Gently urge him, saying he only needs to call the director of Chuo Hospital to introduce you.	⑥考えてください。 Think about it.
⑦他に頼めるところがないと言って強く依頼してください。 Urge B to do this because you have no one else to ask.	⑧了解して、電話を入れると言ってください。 Tell A that you understand and will call the director of Chuo Hospital.
⑨お礼を言ってください。 Thank B.	

売り出す　うりだす　put on sale　　親しい　したしい　close, familiar　　院長　いんちょう
director of a hospital　　取引　とりひき　transactions, dealings　　減る　へる　become less

第4課　依頼

STAGE 3

1. レポートの期限の延期　Postponing the deadline of a report

A：部下

B部長に月曜日までにやるように言われていたレポートの作成ができそうにありません。部長に期限の延期を頼んでください。できない理由、また、どのぐらい延期してもらうかは自分で考えてください。

A：Subordinate
You are having difficulty finishing the report B, your general manager, has asked you to hand in by Monday. Ask him to postpone the deadline. Think up your own reasons why you can't make it, and how long you will need to finish it.

B：部長

部下Aに月曜日までにレポートを作成するように言ってありますが、その件でAから話があります。Aの話を聞いて、どうするか決めてください。

B：General manager
You have told A, a subordinate, to finish a report by Monday. A wants to talk to you about it. Listen to what he says and decide what you want him to do.

期限　きげん　deadline　　延期　えんき　postponement

第4課　依頼

2. データ整理の手伝い　Helping to prepare data

A：同僚

課長に明日までにするようにと言われている資料作成がなかなかできません。データの整理の手伝いをB（親しい同僚）とC（あまり親しくない同僚）に頼んでください。

A : Colleague of B's and C's
You are having difficulty preparing the data which your manager has asked you to hand in by tomorrow. Ask B, who knows you very well, and C, who doesn't know you very well, for help with the data preparation.

B：同僚（Aと親しい）

Aの依頼を断ってください。理由は自分で考えてください。

B : Colleague of A's and C's (You know A very well.)
Decline A's request. Think up your own reasons.

C：同僚（Aとあまり親しくない）

急ぎの仕事はありません。
Aの依頼を受けてください。

C : Colleague of A's and B's (You don't know A very well.)
You have no other urgent business to do. Agree to help him.

第4課　依頼

3. 値引きの依頼　Asking for a discount

A：東洋電気社員
コスモ商事のBに、コピー機を15台まとめてリースするから、リース料を10％下げてもらいたいと頼んでください。断られたら、値引き率を変えて、検討するように頼んでください。

A：From Oriental Electronics
Ask B to reduce the price by 10% because you will lease 15 photocopiers. When B declines your request, reduce the discount you want and ask him to think about it.

B：コスモ商事社員
東洋電気のAの話を聞いて、どうするか決め、返事をしてください。

B：From Cosmo Trading
Listen to A and decide what to do.

STAGE 4

社内

1. 同僚に手伝いを頼む時の会話を書いてください。

2. 実際に頼んでみてください。その時、同僚は何と言ったか書いてください。

値引き　ねびき　discount　　リースする　lease　　リース料　リースりょう　lease fee　　値引き率
ねびきりつ　discount rate　　実際に　じっさいに　actually, in a real situation

第4課　　依頼

紹介を頼む

　紹介をしてもらうことは、新しい顧客を得るうえで大変有効です。日本では各社の商品のレベルがほとんど同じなので、ビジネスを進めていく時、人と人とのつながりが重要になるのです。では、どのような人を紹介してもらえばいいのでしょうか。中小企業の場合は、経営者が会社の経営方針を決定しているので、経営者を紹介してもらうようにします。大企業の場合は、課長クラスが方針の決定に大きく関わっているので、担当課長を紹介してもらうのがいいでしょう。このように、決定権を持っている人と話をするのが、商談成立の近道となるのです。

Vocabulary

顧客	こきゃく	client
得る	える	get
有効	ゆうこう	effective
つながり		connection
中小企業	ちゅうしょうきぎょう	small or medium-sized enterprise
経営者	けいえいしゃ	manager
経営方針	けいえいほうしん	management policy
大企業	だいきぎょう	big enterprise
方針	ほうしん	policy
関わる	かかわる	concern
決定権	けっていけん	right of decision
商談成立	しょうだんせいりつ	business agreement
近道	ちかみち	short cut

第5課
Inviting
誘(さそ)い

　日本ではビジネスをスムーズに進めるために、取引先を食事やゴルフに招待することがあります。仕事以外に個人的なつきあいをすることが、日本でのビジネスをうまく進めるために重要になる場合もあるということを知っておきましょう。

第5課　誘い

STAGE 1

（社内）

1. 誘う　Inviting

(1) 受ける　Accepting

CD 34

A：①今度の日曜日、みんなでお花見に行くんですけど、よかったら、②一緒に行きませんか。
B：ええ、③喜んで。

練習1　1）①金曜に飲み会をやる　②出（ませんか）
　　　　　③ぜひ
　　　　2）①ホームページを作る　②やり（ませんか）
　　　　　③おもしろそうですね
　　　　3）①土曜日に晴海のモーターショーを見に行く　②行き（ませんか）
　　　　　③いいですね

練習2　A（同僚）：今度の日曜日、会社のゴルフコンペがあると言って誘ってください。
　　　　B（同僚）：誘いを受けてください。

(A and B are colleagues.)
A: Invite B to the company's golf competition this Sunday.
B: Accept A's invitation.

(2) 断る　Declining

CD 35

A：①今度の日曜日、みんなでお花見に行くんですけど、よかったら、②一緒に行きませんか。
B：③今度の日曜日ですか。ちょっと④都合が悪いんで…。

p. 65　招待する　しょうたいする　invite　個人的な　こじんてきな　private, personal　つきあいをする　associate　p. 66　花見　はなみ　cherry blossom viewing　喜ぶ　よろこぶ　be glad　飲み会　のみかい　drinking party　ホームページ　home page　晴海　はるみ　Harumi (place)　モーターショー　motor show　ゴルフコンペ　golf competition　都合が悪い　つごうがわるい　inconvenient

第5課　誘い

練習1　1)　①金曜に飲み会をやる　②出（ませんか）
　　　　　　③金曜　④今週は仕事が忙しい
　　　　2)　①ホームページを作る　②やり（ませんか）
　　　　　　③ホームページ　④コンピューターには弱い
　　　　3)　①土曜日に晴海のモーターショーを見に行く　②行き（ませんか）
　　　　　　③土曜日　④先約がある

練習2　A（同僚）：今度の日曜日、会社のゴルフコンペがあると言って誘ってください。
　　　　B（同僚）：今度の日曜日は子供と約束があるので、断ってください。

（A and B are colleagues.）
A: Invite B to the company's golf competition this Sunday.
B: Decline A's invitation explaining that you have arranged to do something with your children.

2. 勧める　Offering things

(1) 受ける　Accepting

CD 36

A：①ちょっと休みたいですね。②お茶でもどうですか。
B：ああ、いいですね。

練習1　1)　①疲れました　②コーヒー
　　　　2)　①暑いです　②冷たいもの

練習2　A（同僚）：疲れたので、温かい飲み物を勧めてください。
　　　　B（同僚）：勧めを受けてください。

（A and B are colleagues.）
A: You and B are tired. Offer B something hot to drink.
B: Accept A's offer.

〜に弱い　〜によわい　be poor at 〜　　先約　せんやく　previous appointment　　勧める　すすめる　offer

第5課　誘い

(2) 断る　Declining

> A：①ちょっと休みたいですね。②お茶でもどうですか。
> B：ありがとう。それが、③これから出かけるんですよ。

練習1　1)　①疲れました　②コーヒー　③今、部長に呼ばれた
　　　　2)　①暑いです　②冷たいもの　③ちょっとおなかが痛い

練習2　A（同僚）：疲れたので、温かい飲み物を勧めてください。
　　　　B（同僚）：急いで出かけなければならないので、断ってください。

（A and B are colleagues.）
A：You and B are tired. Offer B something hot to drink.
B：Decline A's offer explaining that you must leave the office very soon.

▶ロールプレイ

1. A（同僚）：寒いので、コーヒーを勧めてください。
   B（同僚）：さっき飲んだばかりなので、勧めを断ってください。

   （A and B are colleagues.）
   A：It is cold. Offer B some coffee.
   B．Decline A's otter explaining that you have just had some.

2. A（同僚）：歌舞伎の切符を二枚持っていると言って、誘ってください。
   B（同僚）：誘いを受けてください。

   （A and B are colleagues.）
   A：Invite B to Kabuki explaining that you have two tickets.
   B：Accept A's invitation.

3. A（同僚）：来週末おもしろそうな講演会があると言って、誘ってください。
   B（同僚）：明日からしばらくアメリカに出張するので、誘いを断ってください。

   （A and B are colleagues.）
   A：Invite B to an interesting lecture to be held next weekend.
   B：Decline A's invitation explaining that you are going on a business trip to the U.S. tomorrow and won't be back in time.

さっき　a little while ago　　講演会　こうえんかい　lecture

第5課　誘い

4. A（同僚）：疲れたので、甘い物を勧めてください。
   B（同僚）：勧めを受けてください。

   (A and B are colleagues.)
   A: You and B are tired. Offer him some sweets.
   B: Accept A's offer.

社外

1. 誘う　Inviting

(1) 受ける　Accepting

CD 38

A：今度①懇談会をやるんですが、よろしければ、御社も②参加なさいませんか。
B：はい。そうさせていただきます。

練習1　1)　①見本市にブースを出す
　　　　　　②お出しになり（ませんか）
　　　　2)　①中国視察旅行に参加することにした
　　　　　　②いらっしゃい（ませんか）

練習2　A（X社社員）：関連会社で勉強会をやることになりました。Y社も参加するよう誘ってください。
　　　　B（Y社社員）：誘いを受けてください。

(A is from X company and B is from Y company.)
A: A study meeting will be held among related companies. Ask B to participate in it.
B: Accept A's invitation.

懇談会　こんだんかい　meeting　　御社　おんしゃ　your company　　参加する　さんかする　participate
ブース　booth　　視察　しさつ　observation　　関連会社　かんれんがいしゃ　related company

第5課　誘い

(2) 断る　Declining

CD 39

A：今度①懇談会をやるんですが、よろしければ、御社も②参加なさいませんか。

B：お誘いはありがたいんですが、③懇談会に参加するのはちょっと難しいですね。

練習1　1)　①見本市にブースを出す
　　　　　　②お出しになり（ませんか）
　　　　　　③ブースを出す
　　　　2)　①中国視察旅行に参加することにした
　　　　　　②いらっしゃい（ませんか）
　　　　　　③視察旅行に参加する

練習2　A（X社社員）：関連会社で勉強会をやることになったと言って、Y社も参加するよう誘ってください。
　　　　B（Y社社員）：誘いを断ってください。

（A is from X company and B is from Y company.）
A：A study meeting will be held among related companies. Ask B to join it.
B：Decline A's invitation.

2. 勧める　Offering things

(1) 受ける　Accepting

CD 40

A：何か①飲み物でもいかがですか。

B：ありがとうございます。

練習1　1)　①おつまみ
　　　　2)　①オードブル

練習2　A（X社社員）：（パーティで）お酒を勧めてください。
　　　　B（Y社社員）：勧めを受けてください。

（A is from X company and B is from Y company.）

ありがたい　grateful　　つまみ　snack　　オードブル　hors d'oeuvre

第5課　誘い

A：(At a party) Offer B a drink.
B：Accept A's offer.

(2) 断る　Declining

CD 41
A：何か①飲み物でもいかがですか。
B：いえ。どうぞお構いなく。

練習1　1)　①おつまみ
　　　　2)　①オードブル

練習2　A：(パーティで) お酒を勧めてください。
　　　　B：勧めを断ってください。

(A is from X company and B is from Y company.)
A：(At a party) Offer B a drink.
B：Decline A's offer.

▶ロールプレイ

1.　A (X社社員)：今度青山スポーツクラブの法人会員になったと言って、Y社も入るよう、誘ってください。
　　B (Y社社員)：断ってください。

(A is from X company and B is from Y company.)
A：X company has become a corporate member of Aoyama Sports Club. Ask Y company to join it.
B：Decline A's invitation.

2.　A (X社受付)：(Bが受付のところで訪問相手が出てくるのをしばらく待っています。) 雑誌を勧めてください。
　　B (Y社社員)：(X社に来て、訪問相手が出てくるのを待っています。) 勧めを受けてください。

(A is a receptionist at X company and B is from Y company.)
A：(B is waiting for the person he wants to see to come to the reception desk.) Offer B a magazine to read.
B：(You are at X company and waiting for the person you want to see.) Accept A's offer.

お構いなく　おかまいなく　(No, but) thank you for asking.　　法人会員　ほうじんかいいん　corporate member

第5課　誘い

3. A（X社社員）：今度新製品の発表会を行うと言って、Y社も出席するよう誘ってください。

   B（Y社社員）：誘いを受けてください。

   (A is from X company and B is from Y company.)
   A: X company is going to hold an exhibition for a new product. Ask Y company to attend it.
   B: Accept A's invitation.

4. A（X社社員）：（X社主催のパーティで）デザートを勧めてください。

   B（Y社社員）：（X社主催のパーティで）勧めを断ってください。

   (A is from X company and B is from Y company.)
   A:（At a party hosted by X company）Offer B some dessert.
   B:（At a party hosted by X company）Decline A's offer.

発表会　はっぴょうかい　presentation　　出席する　しゅっせきする　attend　　主催　しゅさい　hosting
デザート　dessert

第5課　誘い

STAGE 2

（社内）

CD 42　会話1　上司を誘う　Inviting a superior
　　A：部下
　　B：部長

1. CDを聴いて、質問に答えてください。
   1) 部長は何に誘われましたか。
   2) 部長は誘いを受けましたか。

2. もう一度CDを聴いてください。

3. 会話を完成してください。
   A：部長、(①都合を聞く)_____。
   B：ああ。
   A：今から、みんなで飲みに行くことになったんですが、部長も(②丁寧に誘う)_____
   _____。
   B：今から。
   A：たまにはいかがですか。
   B：じゃあ、行こうか。
   A：では、一階のロビーでお待ちしています。

4. もう一度CDを聴いて、自分の書いた表現と比べてください。

たまには　once in a while

第5課　誘い

5. ロールプレイ

A：部下(ぶか) (Subordinate)	B：部長(ぶちょう) (Superior)
①部長(ぶちょう)の都合(つごう)を聞(き)いてください。 Ask B if she has time to talk.	②いいと言(い)ってください。 Tell A that you have time.
③今週(こんしゅう)の金曜日(きんようび)の野球(やきゅう)の試合(しあい)に誘(さそ)ってください。 Ask B to come to this Friday's baseball game.	④今週(こんしゅう)の金曜日(きんようび)かと聞(き)いてください。 Confirm that it is this Friday.
⑤もう一度(いちど)部長(ぶちょう)を誘(さそ)ってください。 Invite B again.	⑥誘(さそ)いを受(う)けてください。 Accept A's invitation.
⑦詳(くわ)しいことは後(あと)で連絡(れんらく)すると言(い)ってください。 Tell B that you will let her have more details later.	

試合　しあい　game　　詳しい　くわしい　detailed

第5課　誘い

会話2　同僚を飲みに誘う　Inviting a colleague for a drink

A：同僚
B：同僚　鈴木

1. CDを聴いて、質問に答えてください。
   1) 鈴木さんは飲みに行きますか。
   2) それはどうしてですか。

2. もう一度CDを聴いてください。

3. 会話を完成してください。

   A：鈴木君、今晩（①予定を聞く）＿＿＿＿＿＿＿＿＿＿。
   B：いや、別にないけど…。
   A：久しぶりに一緒に（②誘う）＿＿＿＿＿＿＿＿＿＿。
   B：いやあ、（③断る）＿＿＿＿＿＿＿＿＿＿＿＿＿＿＿、今日は早く帰ろうと思っているんだ。
   A：まあいいじゃない、今日だけは。新宿にいいところを見つけたんだ。
   B：うん。だけど、このところ疲れているし、やっぱりやめとくよ。（④断る）＿＿＿＿＿＿＿＿＿＿。
   A：そう。じゃ、また今度。

4. もう一度CDを聴いて、自分の書いた表現と比べてください。

予定　よてい　plan　　このところ　recently　　やっぱり　on second thoughts

第5課　誘い

5. ロールプレイ

A：同僚(どうりょう) (Colleague of B's)	B：同僚(どうりょう) (Colleague of A's)
①今(いま)、時間(じかん)があるか聞(き)いてください。 Ask B if he is free now.	②少(すこ)しならあると言(い)ってください。 Tell A that you have a little time to spare.
③前(まえ)の喫茶店(きっさてん)でコーヒーでも飲(の)まないかと誘(さそ)ってください。 Suggest that you both go for a coffee at the coffee shop across the street from the office.	④取引先(とりひきさき)からの電話(でんわ)を待(ま)っていると言(い)ってください。 Tell A that you are waiting for a phone call from a client.
⑤10分(ぷん)くらい、いいじゃないかと言(い)って、誘(さそ)ってください。 Persist with your suggestion, telling B that it won't hurt him to spare 10 minutes or so.	⑥電話(でんわ)があった時(とき)にいないとまずいし、また今度(こんど)にしてほしいと言(い)って、断(ことわ)ってください。 Decline A's suggestion explaining that it is not good if you are not in when the client calls. Tell him to make it another time.
⑦また今度(こんど)と言(い)ってください。 Tell B that you will.	

まずい　awkward

第5課　誘い

社外

会話　共同輸送の説明会に誘う　Inviting someone in the same business to a work-related meeting
CD 44

　　A：東洋電気社員
　　B：ワールドエレクトロニクス社員

1. CDを聴いて、質問に答えてください。
   1) ワールドエレクトロニクスは、共同輸送の説明会に出ることをOKしましたか。

2. もう一度CDを聴いてください。

3. 会話を完成してください。
   A：どうも、お待たせしまして…。
   B：いえいえ。
   A：お暑いところ、ありがとうございます。(①丁寧に勧める)_____。
   B：(②断る)_____。
   A：私もいただきますから。
   B：そうですか。では、(③受ける)_____。
   ──Aは秘書にアイスコーヒーを持ってくるように言う。
   A：(④話題を変える)_____、当社でもこのところコスト削減が問題になっていまして。
   B：東洋電気さんもそうですか。どこも同じですねえ。
   A：ええ。それで、同業者との共同輸送を計画しているところなんですが。
   B：共同輸送ですか。なかなか難しいでしょうねえ。
   A：ええ、まあ。ですが、流通コストの削減はどうしてもやらなければならないことですし。
   B：そうですね。
   A：今度うちで説明会を開きますので、よろしければ、(⑤丁寧に誘う)_____。
   B：そうですね。まあ、(⑥返事を保留する)_____。

4. もう一度CDを聴いて、自分の書いた表現と比べてください。

輸送　ゆそう　transportation　　コスト　cost　　削減　さくげん　reduction　　同業者　どうぎょうしゃ　person in the same line of business　　計画する　けいかくする　plan　　流通　りゅうつう　distribution

第5課　誘い

5. ロールプレイ

A：X社社員 (From X company)	B：Y社社員 (From Y company)
①寒い時に来てもらったことにお礼を言って、温かい飲み物を勧めてください。 Thank B for coming on such a cold day. Offer him something hot to drink.	②遠慮して、勧めを断ってください Hesitate and then decline A's offer.
③自分も飲むと言ってください。 Tell B that you are also going to have something to drink.	④勧めを受けてください。 Accept A's offer.
⑤話題を変えて、これからは高齢者にも使いやすい商品を考えなければならないと思っていると言ってください。 Change the subject and tell B that in your opinion both companies have to think about selling goods that can easily be used by old people.	⑥同意してください。 Agree with A.
⑦規格を統一したいと考えていて、同業者に声をかけていると言ってください。 Tell B that you are asking others in the same trade to standardize their products.	⑧規格の統一かと確認してください。 Confirm that A is talking about standardizing products.
⑨今のように規格がばらばらだと、使いにくいし、生産コストも高くなると言ってください。そして、よかったら統一規格の試案作成に参加するよう誘ってください。 Tell B that products that are not standardized are not easy to use and also have higher production costs. Ask him to participate in planning the establishment of trade-wide standards.	⑩返事を保留してください。 Avoid giving a direct answer.

第5課　誘い

STAGE 3

1. 部長をテニスに誘う　Inviting a superior to a tennis weekend

A：部下
8月の初めに部の人達で軽井沢にテニスに行くことになりました。B部長を誘ってください。

A : Subordinate
You are going to Karuizawa to play tennis with some members of you department at the beginning of August. Invite B, your general manager.

B：部長
8月の初めに部の人達で軽井沢にテニスに行くことになりました。Aに誘われるので、行くかどうか決めて、返事をしてください。

B : Superior
Some members of your department are going to Karuizawa to play tennis at the beginning of August. You are invited. Decide if you can accept this invitation or not.

---

p.78　遠慮する　えんりょする　hesitate, be reserved　　高齢者　こうれいしゃ　old people　　同意する　どういする　agree　　規格　きかく　standard　　統一する　とういつする　standardize　　声をかける　こえをかける　ask, appeal　　ばらばら　different　　生産　せいさん　production　　試案　しあん　plan
p.79　初め　はじめ　at the beginning of　　軽井沢　かるいざわ　Karuizawa (place)

第5課　誘い

2. 同僚（どうりょう）を飲（の）みに誘（さそ）う　Inviting a colleague for a drink

A：同僚（どうりょう）

今日（きょう）、仕事（しごと）が終（お）わってから飲（の）みに行（い）こうとBを誘（さそ）ってください。行（い）く店（みせ）の特長（とくちょう）は次（つぎ）の通（とお）りです。Bの質問（しつもん）に答（こた）え、強（つよ）く誘（さそ）ってください。

店（みせ）の名前（なまえ）：トリオ
場所（ばしょ）：新宿（しんじゅく）
特長（とくちょう）：静（しず）かで落（お）ち着（つ）いた店（みせ）。
　　　　料理（りょうり）がおいしい。
　　　　値段（ねだん）が安（やす）い。

A：Colleague of B's

Ask B to go out for a drink with you after work. Using the bar details below, answer his questions and urge him to go with you.
NAME：Trio
PLACE：Shinjuku
FEATURES：
It is quiet and relaxing.
The bar snacks are as good as the drinks.
The prices are reasonable.

B：同僚（どうりょう）

Aに仕事（しごと）が終（お）わってから飲（の）みに行（い）こうと誘（さそ）われます。行（い）く店（みせ）について、詳（くわ）しく聞（き）いてください。そして、誘（さそ）いを受（う）けるかどうか考（かんが）えて、返事（へんじ）をしてください。

B：Colleague of A's

A asks you to go out for a drink with him after work. Ask him in detail what the bar is like. Decide if you can accept his invitation or not and answer.

特長　とくちょう　features　　落ち着いた　おちついた　relaxing　　値段　ねだん　price

第5課　誘い

3. 同業者を勉強会に誘う　Inviting a fellow businessman to a study meeting

A：ワールドエレクトロニクス社員

Bが同業者の勉強会に参加するよう誘いに訪ねてきます。Bに飲み物を勧めてください。それから勉強会について、いろいろ質問してください。参加するかどうかを決めて、返事をしてください。

B：東洋電気社員

同業者が集まって下のような勉強会をやることになりました。Aを訪ねて、参加するように誘ってください。

メンバー：東京の電気メーカーの社員
場所：ホテルオームラ
日時：毎週水曜日7：30〜8：45
会費：1回　1万円
内容：毎回講師を呼んで話を聞く

A : From World Electronics
B visits you and asks you to join a study group for companies in the same trade. Offer him something to drink. Ask him about the meeting. Decide if you want to join the study group and give him your answer.

B : From Toyo Electric
A study group for companies in the same trade has been planned. See the features below. Visit A and invite him to the meeting.
WHO: employees of electrical manufacturing companies
WHERE: Hotel Omura
WHEN: 7:30-8:45 a.m. every Wednesday
HOW MUCH: 10,000 yen
WHAT: listening to a lecture every time

STAGE 4

社内

昼休みに会社の人を誘って、一緒に食事に出かけます。何と言って誘ったらいいか会話を考えて、下に書いてください。

会費　かいひ　membership fee　　講師　こうし　lecturer　　勉強会　べんきょうかい　study meeting

第5課　誘い

職場の和

　日本では職場の人とお酒を飲む機会がありますが、これは「宴会」または「飲み会」と呼ばれ、代表的な例は忘年会や新年会です。しかし、そのような特別な機会でなくても、仕事の後で「今晩、一杯どう」とか「近くにいい店ができたんだけど」などと言って誘い、お酒を飲みながら、仕事や趣味、家族、あるいは最近のニュースなどについて、話したりします。また近頃は、お酒を飲みに行く以外に、カラオケに行ったり、昼御飯を食べたりすることも多いですが、こうしたコミュニケーションは、お互いを知るためにとてもいい機会だと考えられています。日本の企業で大切だと考えられている職場の和は、こんなことからも生まれるようです。日本でビジネスをうまく進めるためには、こうした「和」という考え方も大切でしょう。

Vocabulary

機会	きかい	chance
宴会	えんかい	party
飲み会	のみかい	drinking party
代表的	だいひょうてき	typical
忘年会	ぼうねんかい	year-end party
新年会	しんねんかい	New Year's party
特別な	とくべつな	special
近頃	ちかごろ	recently
〜以外に	いがいに	other than 〜
互い	たがい	each other
生まれる	うまれる	be formed, be created
考え方	かんがえかた	way of thinking

第6課
Telephoning
電話

　日本語では「うち」と「そと」という考え方があり、特に、社外からの電話に出る時は、この「うち」と「そと」の言葉の使い分けが重要になります。相手の顔が見えない電話では、使う言葉によって人格が判断されてしまいますから、気を付けましょう。

第6課　電話

STAGE 1

(社内)

1. 電話を取り次ぐ　Answering the phone and putting people through

CD 45

A：もしもし、企画部のスミスですけど、林さんいますか。
B：林さんですね。今、代わります。林さん、企画部のスミスさんから3番に電話が入っています。
C：もしもし、林です。
A：スミスです。実は、ちょっと①聞きたいことがあるんですけど。

練習1　1)　①確認し（たい）
　　　　2)　①連絡し（たい）

練習2　A（企画部同僚）：①（営業部に電話をかけます。）自分の部署と名前を言って、Cを呼んでもらってください。
　　　　　　　　　　　　④名前を言って、相談したいことがあると言ってください。
　　　　B（営業部同僚）：②Cだと確認して、電話を取り次いでください。
　　　　C（営業部同僚）：③電話に出て、自分の名前を言ってください。

(A, B and C are colleagues. A is from the planning department and B and C are from the sales department.)
A：①　(Call the sales department) Tell B your name and department and ask to speak to C.
　　④　Give your name and tell C you have something you want to consult him about.
B：②　Confirm A wants to speak to C, and call C to the phone.
C：③　Answer the phone and give your name to A.

---

p. 83　特に　とくに　especially　　電話に出る　でんわにでる　answer the phone　　使い分け　つかいわけ　proper use　　人格　じんかく　personality　　判断する　はんだんする　judge　　p. 84　取り次ぐ　とりつぐ　put through　　代わる　かわる　get someone on the phone　　部署　ぶしょ　one's post　　相談する　そうだんする　consult

2. 伝言を頼む　Asking to leave a message

A：もしもし、企画部のスミスですけど、林さんいますか。
B：今、①電話中ですが。
A：そうですか。じゃ、ちょっと伝えてもらいたいことがあるんですけど。
B：はい、どうぞ。

練習1　1）①来客中
　　　　2）①打ち合わせ中

練習2　A（企画部同僚）：①（営業部に電話をかけます。）自分の部署と名前を言って、Cを呼んでもらってください。
　　　　　　　　　　　　③相づちを打って、伝言を頼んでください。
　　　　B（営業部同僚）：②今、外出中だと言ってください。
　　　　　　　　　　　　④伝言の依頼を受けてください。

(A and B are colleagues. A is from the planning department and B is from the sales department.)
A：①　(Call the sales department) Tell B your name and department and ask to speak to C.
　　③　Make a response and ask B to give C a message.
B：②　Tell A that C is out now.
　　④　Agree to A's request.

伝言　でんごん　message　　伝える　つたえる　tell　　来客中　らいきゃくちゅう　being with a customer

第6課　電話

3. 伝言を申し出る　Offering to take a message

A：もしもし、企画部のスミスですけど、林さんいますか。
B：①今、席をはずしていますが。
A：ああ、そうですか。
B：何か伝えましょうか。
A：じゃ、お願いします。

練習1　1)　①今日は10時に出社の予定です
　　　　2)　①今日は休暇を取っています

練習2　A（企画部同僚）：①（営業部に電話をかけます。）自分の部署と名前を言って、Cを呼んでもらってください。
　　　　　　　　　　　　③相づちを打ってください。
　　　　　　　　　　　　⑤伝言の申し出を受けてください。
　　　　B（営業部同僚）：②今日は大阪へ出張していると言ってください。
　　　　　　　　　　　　④伝言を申し出てください。

(A and B are colleagues. A is from the planning department and B is from the sales department.)
A：① (Call the sales department) Tell B your name and department and ask to speak to C.
　　③ Make a response.
　　⑤ Accept B's offer.
B：② Tell B that C is on a business trip to Osaka today.
　　④ Offer to take a message.

▶ロールプレイ

1.　A（企画部同僚）：①（営業部に電話をかけます。）自分の部署と名前を言って、Cを呼んでもらってください。
　　　　　　　　　　④名前を言って、教えてもらいたいことがあると言ってください。
　　B（営業部同僚）：②Cだと確認して、電話を取り次いでください。
　　C（営業部同僚）：③電話に出て、自分の名前を言ってください。

申し出る　もうしでる　offer　　席をはずす　せきをはずす　be not at one's desk　　申し出　もうしで　offer

第 6 課　電話

(A, B and C are colleagues. A is from the planning department and B and C are from the sales department.)
A: ①　(Call the sales department) Tell B your name and department and ask to speak to C.
　 ④　Give your name and say you want to ask C something.
B: ②　Confirm A wants to speak to C, and call C to the phone.
C: ③　Answer the phone and give your name to A.

2.　A（企画部同僚）：①（営業部に電話をかけます。）自分の部署と名前を言って、Cを呼んでもらってください。
　　　　　　　　　　　③相づちを打って、伝言を頼んでください。
　　B（営業部同僚）：②今、会議中だと言ってください。
　　　　　　　　　　　④伝言の依頼を受けてください。

(A and B are colleagues. A is from the planning department and B is from the sales department.)
A: ①　(Call the sales department) Tell B your name and department and ask to speak to C.
　 ③　Make a response and ask B to give C a message.
B: ②　Tell A that C is in a meeting now.
　 ④　Agree to A's request.

3.　A（企画部同僚）：①（営業部に電話をかけます。）自分の部署と名前を言って、Cを呼んでもらってください。
　　　　　　　　　　　③相づちを打ってください。
　　　　　　　　　　　⑤伝言の申し出を受けてください。
　　B（営業部同僚）：②今、外に出ていると言ってください。
　　　　　　　　　　　④伝言を申し出てください。

(A and B are colleagues. A is from the planning department and B is from the sales department.)
A: ①　(Call the sales department) Tell B your name and department and ask to speak to C.
　 ③　Make a response.
　 ⑤　Accept B's offer.
B: ②　Tell A that C is out now.
　 ④　Offer to take a message.

第6課　電話

（社外）

1. 電話を取り次ぐ　Answering the phone and putting people through

> A：ABCコンサルティングのストーンと申しますが、いつもお世話になっております。
> B：こちらこそ、お世話になっております。
> A：課長の佐々木様いらっしゃいますか。
> B：佐々木でございますね。少々お待ちください。課長、ABCコンサルティングのストーンさんから3番に電話が入っています。
> C：お電話代わりました。佐々木でございます。
> A：ストーンでございます。実は、①商品説明会の件で②お聞きしたいことがあるんですが。

練習1　1)　①見積もり　　②ご確認し（たい）
　　　　2)　①ゴルフコンペ　②ご連絡し（たい）

練習2　A（X社社員）：①（Y社に電話をかけます。）自分の会社名と名前を言って、あいさつをしてください。
　　　　　　　　　　　③C課長を呼んでもらってください。
　　　　　　　　　　　⑥名前を言って、契約の件で相談したいことがあると言ってください。
　　　　B（Y社社員）：②あいさつを返してください。
　　　　　　　　　　　④Cだと確認して、電話を取り次いでください。
　　　　C（Y社課長）：⑤電話に出て、自分の名前を言ってください。

(A is from X company, B is from Y company and C is a section manager with Y company.)
A：①　(Call Y company) Tell B your name and company's name and then greet him.
　　③　Ask to speak to C, a section manager.
　　⑥　Give your name and say you need to talk about a contract.
B：②　Greet A.
　　④　Confirm A wants to speak to see C, and call C to the phone.
C：⑤　Answer the phone and give your name to A.

返す　かえす　give back

第6課　電話

2. 伝言を頼む　Asking to leave a message

> A：ABCコンサルティングのストーンと申しますが、いつもお世話になっております。
> B：こちらこそ、お世話になっております。
> A：課長の佐々木様いらっしゃいますか。
> B：申し訳ございません。ただ今、①電話中でございますが。
> A：そうですか。では、ちょっと伝えていただきたいことがあるんですが。
> B：はい、どうぞ。

練習1　1）①来客中
　　　　2）①打ち合わせ中

練習2　A（X社社員）：①（Y社に電話をかけます。）自分の会社名と名前を言って、あいさつをしてください。
　　　　　　　　　　　③C課長を呼んでもらってください。
　　　　　　　　　　　⑤相づちを打って、伝言を頼んでください。
　　　　B（Y社社員）：②あいさつを返してください。
　　　　　　　　　　　④謝って、今、外出中だと言ってください。
　　　　　　　　　　　⑥伝言の依頼を受けてください。

(A is from X company and B is from Y company.)
A：①　(Call Y company) Tell B your name and company's name and then greet him.
　　③　Ask to speak to C, a section manager.
　　⑤　Make a response and ask B to give C a message.
B：②　Greet A.
　　④　Apologize and tell A that C is out now.
　　⑥　Agree to A's request.

第6課　電話

3. 伝言を申し出る　Offering to take a message

CD 50

A：ABCコンサルティングのストーンと申しますが、いつもお世話になっております。
B：こちらこそ、お世話になっております。
A：課長の佐々木様いらっしゃいますか。
B：申し訳ございません。①ただ今、席をはずしておりますが。
A：ああ、そうですか。
B：もしよろしければ、何かお伝えしましょうか。
A：では、お願いいたします。

練習1　1）①今日は10時に出社の予定でございます
　　　　2）①今日は休暇をいただいております

練習2　A（X社社員）：①（Y社に電話をかけます。）自分の会社名と名前を言って、あいさつをしてください。
　　　　　　　　　　③C課長を呼んでもらってください。
　　　　　　　　　　⑤相づちを打ってください。
　　　　　　　　　　⑦伝言の申し出を受けてください。
　　　　B（Y社社員）：②あいさつを返してください。
　　　　　　　　　　④謝って、今日は大阪へ出張していると言ってください。
　　　　　　　　　　⑥伝言を申し出てください。

（A is from X company and B is from Y company.）
A：①　(Call Y company) Tell B your name and company's name and then greet him.
　　③　Ask to speak to C, a section manager.
　　⑤　Make a response.
　　⑦　Accept B's offer.
B：②　Greet A.
　　④　Apologize and tell A that C is on a business trip to Osaka today.
　　⑥　Offer to take a message.

第6課　電話

▶ロールプレイ
1.　A（X社社員）：①（Y社に電話をかけます。）自分の会社名と名前を言って、あいさつをしてください。
　　　　　　　　　③C課長を呼んでもらってください。
　　　　　　　　　⑥名前を言って、勉強会の件で教えてもらいたいことがあると言ってください。
　　B（Y社社員）：②あいさつを返してください。
　　　　　　　　　④Cだと確認して、電話を取り次いでください。
　　C（Y社課長）：⑤電話に出て、自分の名前を言ってください。

　　（A is from X company, B is from Y company and C is a section manager with Y company.）
　　A：①　（Call Y company）Tell B your name and company's name and then greet him.
　　　　③　Ask to speak to C, a section manager.
　　　　⑥　Give your name and say you want to ask C something about a study meeting.
　　B：②　Greet A.
　　　　④　Confirm A wants to speak to C, and call C to the phone.
　　C：⑤　Answer the phone and give your name to A.

2.　A（X社社員）：①（Y社に電話をかけます。）自分の会社名と名前を言って、あいさつをしてください。
　　　　　　　　　③C課長を呼んでもらってください。
　　　　　　　　　⑤相づちを打って、伝言を頼んでください。
　　B（Y社社員）：②あいさつを返してください。
　　　　　　　　　④謝って、今、会議中だと言ってください。
　　　　　　　　　⑥伝言の依頼を受けてください。

　　（A is from X company and B is from Y company.）
　　A：①　（Call Y company）Tell B your name and company's name and then greet him.
　　　　③　Ask to speak to C, a section manager.
　　　　⑤　Make a response and ask B to give C a message.
　　B：②　Greet A.
　　　　④　Apologize and tell A that C is in a meeting now.
　　　　⑥　Agree to A's request.

第6課　電話

3. A（X社社員）：①（Y社に電話をかけます。）自分の会社名と名前を言って、
あいさつをしてください。
③C課長を呼んでもらってください。
⑤相づちを打ってください。
⑦伝言の申し出を受けてください。

B（Y社社員）：②あいさつを返してください。
④謝って、今、外に出ていると言ってください。
⑥伝言を申し出てください。

(A is from X company and B is from Y company.)
A：① (Call Y company) Tell B your name and company's name and then greet him.
　　③ Ask to speak to C, a section manager.
　　⑤ Make a response.
　　⑦ Accept B's offer.
B：② Greet A.
　　④ Apologize and tell B that C is out now.
　　⑥ Offer to take a message.

第6課　電話

STAGE 2

社内

会話1　伝言を伝える　Conveying a message
CD 51
A：企画部社員
B：営業部　佐藤
C：企画部課長　渡辺

1. CDを聴いて、質問に答えてください。
   1) 渡辺課長はどうして電話に出られないのですか。
   2) 佐藤さんはどんな伝言を頼みましたか。

2. もう一度CDを聴いてください。

3. 会話を完成してください。
   A：企画部です。
   B：営業部の佐藤ですが、渡辺課長いますか。
   A：今、席をはずしていますが。
   B：そうですか。それじゃ、戻ったら、(①伝言を頼む)_____。
   A：はい、どうぞ。
   B：今日の会議なんですが、3時からに変更になった (②具体的に伝言を頼む)_____。
   A：会議は3時から (③内容を確認する)_____。わかりました。
   B：よろしくお願いします。
   ──課長が戻る
   A：課長、先ほど営業部の佐藤さんから電話があって、今日の会議は3時からに変更になった (④伝言を伝える)_____。
   C：ああ、そう。わかった。

4. もう一度CDを聴いて、自分の書いた表現と比べてください。

具体的に　ぐたいてきに　concretely　　先ほど　さきほど　a little while ago

第6課　電話

5. ロールプレイ

A：企画部社員	B：営業部社員	C：企画部課長
(A and B are colleagues. A is from the planning department and B is from the sales department. C is the section manager of the planning department.)		
①電話に出て、部署を言ってください。 Answer the phone and give your department's name. ③今、来客中だと言ってください。 Tell B that your manager is with a customer now. ⑤伝言の依頼を受けてください。 Agree to B's request. ⑦伝言の内容を確認してください。 Confirm the message. ⑨C課長にBから電話があったことと、Bからの伝言を伝えてください。 Tell C, your section manager, that there was a phone call for him from B and give B's message.	②自分の部署と名前を言って、C課長を呼んでもらってください。 Tell A your name and department and then ask to speak to his section manager. ④相づちを打って、伝言を頼んでください。 Make a response and ask A to give a message to the manager. ⑥提案のあった企画が承認されたという伝言を頼んでください。 Ask A to tell C that the proposed plan has been approved. ⑧もう一度お願いしてください。 Say you are depending on him.	⑩相づちを打って、わかったと言ってください。 Make a response and say you understand.

提案　ていあん　proposal　　承認する　しょうにんする　approve

第6課　電話

会話2　同僚に伝言を頼む　Asking a colleague to convey a message

A：同僚　木村
B：同僚　山口

1. CDを聴いて、質問に答えてください。
   1) 課長はどうして電話に出られないのですか。
   2) 山口さんはどんな伝言を頼みましたか。

2. もう一度CDを聴いてください。

3. 会話を完成してください。
   A：ワールド物産営業部でございます。
   B：もしもし、木村さん。山口だけど、課長いる。
   A：今、会議中だけど。
   B：そうか。じゃ、(①伝言を頼む) ＿＿＿＿＿＿＿＿＿＿＿＿＿＿＿＿＿＿＿＿＿＿＿。
   A：うん、何。
   B：実は、今、新宿駅なんだけど、山手線が事故で止まっちゃって、しばらく動きそうにないんだよ。それで、社に戻るのが少し遅くなりそうだ(②具体的に伝言を頼む)＿＿＿＿＿＿＿＿＿。
   A：うん、わかった。じゃ、気をつけて。
   B：うん。(③話を切り上げる)＿＿＿＿＿＿＿＿＿＿＿。よろしく。

4. もう一度CDを聴いて、自分の書いた表現と比べてください。

社　しゃ　company

第6課　電話

5. ロールプレイ

A：営業部同僚 (Colleague of B's in the sales department)	B：営業部同僚 (Colleague of A's in the sales department)
①電話に出て、会社名と部署を言ってください。 Answer the phone and give your company's name and department.	②自分の名前を言って、課長を呼んでもらってください。 Tell A your name and ask to speak to your section manager.
③9時半に出社の予定だと言ってください。 Tell B that the section manager will come to the office at 9:30.	④相づちを打って、伝言を頼んでください。 Make a response and ask A to give a message to the manager.
⑤依頼を受けて、どんな伝言か聞いてください。 Agree to B's request and ask what the message is.	⑥風邪で、熱が39度ぐらいあると言ってください。そして、今日は休ませてもらうという伝言を頼んでください。 Tell A that you have a cold and a 39-degree temperature. Then ask A to tell the manager that you will take today off.
⑦了解して、お大事にと言ってください。 Say you understand B's message and tell him to take care.	⑧相づちを打って、話を切り上げてください。 Make a response, and finish the conversation.

第6課　電話

社外

CD 53　会話　伝言を申し出る　Offering to take a message
A：グッドシステム社員
B：コスモ商事　小林

1. CDを聴いて、質問に答えてください。
   1) 吉田さんはどうして電話に出られないのですか。
   2) 小林さんはどんな伝言を頼みましたか。

2. もう一度CDを聴いてください。

3. 会話を完成してください。

   A：グッドシステムでございます。
   B：コスモ商事の小林と申しますが、いつもお世話になっております。
   A：こちらこそ、お世話になっております。
   B：吉田さんいらっしゃいますか。
   A：申し訳ございません。ただ今、外出中でございますが。
   B：そうですか。何時ごろお戻りになりますか。
   A：4時の予定でございますが。（①伝言を申し出る）_____。
   B：そうですね。（②伝言の申し出を受ける）_____。先日ご相談した商品の見積書を送っていただきたい（③具体的に伝言を頼む）_____。
   A：見積書をお送りする（④内容を確認する）_____。承知いたしました。
   B：よろしくお願いいたします。それでは、（⑤電話を切る）_____。
   A：（⑥電話を切る）_____。

4. もう一度CDを聴いて、自分の書いた表現と比べてください。

見積書　みつもりしょ　written estimate　　電話を切る　でんわをきる　hang up

第6課　電話

5. ロールプレイ

A：X社社員 (From X company)	B：Y社社員 (From Y company)
①電話に出て、会社名を言ってください。 Answer the phone and give your company's name.	②自分の会社名と名前を言って、あいさつをしてください。 Tell A your name and company's name and then greet him.
③あいさつを返してください。 Greet B.	④田中さんを呼んでもらってください。 Ask to speak to Mr. Tanaka.
⑤謝って、今、出張中だと言ってください。 Apologize and tell B that Mr. Tanaka is on a business trip now.	⑥相づちを打って、いつ戻るか聞いてください。 Make a response and ask when he will be back.
⑦あさっての予定だと言ってください。そして伝言を申し出てください。 Tell B that Mr. Tanaka will be back the day after tomorrow. Offer to take a message for B.	⑧伝言の申し出を受けてください。そして、先日話を聞いた商品のサンプルを送ってもらいたいという伝言を頼んでください。 Accept A's offer and ask him to tell Mr. Tanaka that you want him to send you the sample you heard about the other day.
⑨伝言の内容を確認してください。 Confirm the message.	
⑪あいさつをして、電話を切ってください。 Say goodbye and hang up the phone.	⑩もう一度お願いしてください。そして、あいさつをして、電話を切ってください。 Say you are depending on him. Then say goodbye and hang up the phone.

STAGE 3

1. 他(ほか)の部(ぶ)からの電話(でんわ)　Telephone call from another department

   A：営業部同僚(えいぎょうぶどうりょう)
   総務部(そうむぶ)のBから電話(でんわ)があるので、応対(おうたい)してください。今(いま)、加藤(かとう)さんは不在(ふざい)です。不在(ふざい)の理由(りゆう)は自分(じぶん)で考(かんが)えてください。

   B：総務部同僚(そうむぶどうりょう)
   営業部(えいぎょうぶ)の加藤(かとう)さんに用事(ようじ)があります。営業部(えいぎょうぶ)に電話(でんわ)をかけて、加藤(かとう)さんを呼(よ)んでもらってください。用事(ようじ)は自分(じぶん)で考(かんが)えてください。

   A : Colleague of B's in the sales department
   Answer a telephone call from B. Mr. Kato is not in. Think up the reason why he is not in.

   B : Colleague of A's in the general affairs department
   You have business to discuss with Mr. Kato. Call the sales department and ask to speak to Mr. Kato. Think up what you need to discuss.

2. 同僚(どうりょう)からの電話(でんわ)　Telephone call from a colleague

   A：同僚(どうりょう)
   外出中(がいしゅつちゅう)のBから電話(でんわ)があるので、応対(おうたい)してください。今(いま)、課長(かちょう)は不在(ふざい)です。不在(ふざい)の理由(りゆう)は自分(じぶん)で考(かんが)えてください。

   B：同僚(どうりょう)
   今(いま)、外出中(がいしゅつちゅう)です。帰社(きしゃ)が予定(よてい)より遅(おそ)くなりそうなので、会社(かいしゃ)に電話(でんわ)をかけて、課長(かちょう)に連絡(れんらく)してください。遅(おそ)くなる理由(りゆう)は自分(じぶん)で考(かんが)えてください。

   A : Colleague of B's
   Answer a phone call from B. Your section manager is not in now. Think up the reason why he is not in.

   B : Colleague of A's
   You are out now and going to be late getting back to your office. Call your office and tell your section manager that you will be late. Think up the reason why you are going to be late.

不在　ふざい　absence, being not in　　用事　ようじ　business　　帰社　きしゃ　returning to one's company

第6課　電話

3. 他社からの電話　Telephone call from another company

A：X社社員

Y社のBから電話があるので、応対してください。今、山本課長は不在です。不在の理由は自分で考えてください。

A：From X company

Answer the telephone call from B. Mr. Yamamoto, your section manager, is not in now. Think up the reason why is not in.

B：Y社社員

X社の山本課長に用事があります。X社に電話をかけて、山本課長を呼んでもらってください。用事は自分で考えてください。

B：From Y company

You have business to discuss with Mr. Yamamoto, a section manager with X company. Call X company and ask to speak to Mr. Yamamoto. Think up what you need to discuss.

第6課　電話

STAGE 4

1. 電話をかけたり、受けたりした時に、よく聞く表現がありますか。もしあったら書いてください。そして、それはどんな意味か、また、どんな時に使う表現か考えてみましょう。

2. 実際に受けた電話、または、STAGE 3のロールプレイの内容を思い出して、伝言メモを書いてください。

```
            伝  言  メ  モ
    _____様           ┌─────┐
                            │受信者│
                            └─────┘
        月   日  午前   時   分
                午後

（会社名）_____

_____様から電話がありました。


□またお電話します。（　　日　　時　　分ごろ）
□電話があったとお伝えください。
□お電話ください。　（TEL　　　　　　）
□伝言がありました。
　－伝　言－
    .............................................
    .............................................
    .............................................
    .............................................
```

101

第6課　電話

「うちの会社」

　日本のビジネスマンは、自分の勤めている会社のことを「うちの会社」あるいは「うち」とよく言います。日本人には「うち」と「そと」という考え方があり、「うち」というのは自分の所属する世界のことで、「そと」というのはそれ以外の世界のことを意味しているのです。
　このように、自分の勤めている会社を「うちの会社」と言うところに、日本人と会社の関係の特殊性があると言えるでしょう。つまり、これは会社に対する帰属意識が強いことを表しているのです。また、このことは日本の会社が一般に終身雇用であることとも深く関係しているようです。
　しかし、最近ではこうした終身雇用制などの従来のシステムを見直す会社が出てきました。また、働き方も多様化し、終身雇用にこだわらないで働く人も出てきています。このように、働く人と会社の関係が変われば、「うちの会社」という言い方も変わっていくかもしれません。

Vocabulary

勤める	つとめる	work for
所属する	しょぞくする	belong to
世界	せかい	world
〜以外	〜いがい	except for
意味する	いみする	mean
特殊性	とくしゅせい	distinctive feature
帰属意識	きぞくいしき	feeling of belonging
表す	あらわす	indicate
終身雇用(制)	しゅうしんこよう(せい)	life-time employment (system)
深く	ふかく	deeply
関係する	かんけいする	related
従来の	じゅうらいの	traditional, conventional
見直す	みなおす	reconsider
多様化する	たようかする	diversify
こだわる		adhere, stick to

第7課
Appointments
アポイント

　相手(あいて)の会社(かいしゃ)を訪問(ほうもん)する時(とき)には、訪問(ほうもん)する前(まえ)に電話(でんわ)でアポイントを取(と)るようにします。そして、アポイントの日時(にちじ)が決(き)まったら、必(かなら)ず確認(かくにん)します。当日(とうじつ)は、約束(やくそく)の時間(じかん)の5分前(ふんまえ)には、訪問先(ほうもんさき)に着(つ)くようにしたほうがよいでしょう。

第7課　アポイント

STAGE 1

1. アポイントの申し入れ　Asking for an appointment

CD 54

A：①来年度の採用計画についてお聞きしたいことがございますので、お時間いただきたいんですが。
B：ええ、いいですよ。
A：では、いつがよろしいでしょうか。
B：そうですねえ。

練習1　1）①先日の見積もり
　　　　2）①新製品
　　　　3）①例の企画

練習2　A（X社社員）：①共同企画の件で相談したいことがあるので、Bに電話をしてアポイントの申し入れをしてください。
　　　　　　　　　　　③都合のいい日を聞いてください。
　　　　B（Y社社員）：（共同企画の件でAから電話があります。）
　　　　　　　　　　　②申し入れを受けてください。
　　　　　　　　　　　④考えてください。

(A is from X company and B is from Y company.)
A：① You want to talk about a joint project with B. Call and ask him if you can make an appointment.
　　③ Ask B when is convenient for him.
B：(A calls you about a joint project.)
　　② Tell A that he can.
　　④ Think about it.

---

p. 103　アポイントを取る　アポイントをとる　make an appointment　日時　にちじ　date and time　必ず　かならず　surely　当日　とうじつ　on the day　p. 104　申し入れ　もうしいれ　offering, making a proposal　来年度　らいねんど　next fiscal year　採用　さいよう　employment　企画　きかく　idea, plan

2. 曜日の設定 Setting up the meeting day

> A：来週の初めはいかがですか。
> B：来週の初めはちょっと…。
> A：そうですか。では、①水曜日あたりはいかがですか。
> B：ええ、①水曜日でしたら、構いませんよ。

練習1　1)　①木曜日
　　　　2)　①金曜日
　　　　3)　①再来週の初め

練習2　A（X社社員）：①来週の中ごろはどうかと聞いてください。
　　　　　　　　　　　③来週の金曜日はどうか聞いてください。
　　　　B（Y社社員）：②都合が悪いと言ってください。
　　　　　　　　　　　④了解してください。

（A is from X company and B is from Y company.）
A：①　Ask B if some time in the middle of next week is convenient for him.
　　③　Ask B if Friday of next week is convenient.
B：②　Tell A that it is inconvenient.
　　④　Tell A that Friday is fine.

設定　せってい　setting up　　あたり　around

第7課　アポイント

3. 時間の設定　Setting up the time

A：水曜日の何時ごろがよろしいでしょうか。
B：水曜日なら何時でも構いませんよ。
A：では、①3時ごろはいかがですか。
B：ええ、いいですよ。

練習1　1)　①10時
　　　　2)　①1時
　　　　3)　①2時半

練習2　A（X社社員）：①金曜日の何時ごろがいいか都合を聞いてください。
　　　　　　　　　　　③10時半ごろはどうかと聞いてください。
　　　　B（Y社社員）：②金曜日なら何時でもいいと言ってください。
　　　　　　　　　　　④了解してください。

（A is from X company and B is from Y company.）
A：①　Ask B what time on Friday is convenient for him.
　　③　Ask B if around 10:30 is convenient.
B：②　Tell A that any time on Friday is all right.
　　④　Tell A that the time is fine.

4. 日時の確認と場所の設定　Confirming the date and time and deciding where to meet

A：それでは、①15日水曜の3時ということでよろしいでしょうか。
B：ええ。
A：御社のどちらに伺いましょうか。
B：私どものビルの②1階受付にお越しください。

練習1　1)　①5日木曜の10時　　②4階建設課
　　　　2)　①8日金曜の3時　　　②2階ショールーム
　　　　3)　①25日木曜の1時半　②10階広報室

お越しください　おこしください　Please come to ～.　　建設課　けんせつか　construction section

練習2　A（X社社員）：①23日金曜の10時半でいいか意向を確認してください。
　　　　　　　　　　③Y社のどこに行けばいいか聞いてください。
　　　　B（Y社社員）：②了解してください。
　　　　　　　　　　④自社のビルの4階営業部に来るように言ってください。

(A is from X company and B is from Y company.)
A: ①　Make sure if Friday the 23rd at 10:30 is all right.
　　③　Ask B where you should go to in Y company.
B: ②　Say yes.
　　④　Tell A to come to the sales department on the 4th floor of your company.

5. 確認して電話を切る　Confirming the arrangements and ending the conversation

CD 58

A：では、御社の1階受付に①15日水曜日の3時ということでございますね。
B：はい、お待ちしております。
A：ありがとうございました。失礼いたします。

練習1　1)　①15日木曜の10時
　　　 2)　①8日金曜の3時
　　　 3)　①25日木曜の1時半

練習2　A（X社社員）：①場所と日時を確認してください。
　　　　　　　　　　　場所：Y社4階営業部
　　　　　　　　　　　日時：23日金曜日10時半
　　　　　　　　　　③お礼を言って、電話を切ってください。
　　　　B（Y社社員）：②待っていると言ってください。

(A is from X company and B is from Y company.)
A: ①　Confirm the time and place with B.
　　　Place: reception desk on the 4th floor of Y company
　　　Time and date: 10:30 on Friday the 23rd
　　③　Thank B and hang up.
B: ②　Tell A that you are expecting him.

第7課　アポイント

▶ロールプレイ

1. A（X社社員）：①見積もりについて聞きたいことがあるので、Bに電話をして
アポイントの申し入れをしてください。
③都合のいい日を聞いてください。
   B（Y社社員）：②申し入れを受けてください。
④考えてください。

   (A is from X company and B is from Y company.)
   A: ① You want to ask B about an estimate. Call and ask him if you can make an appointment.
   ③ Ask B when is convenient for him.
   B: ② Tell A that he can.
   ④ Think about it.

2. A（X社社員）：①来週の初めはどうかと聞いてください。
③来週の木曜日はどうかと聞いてください。
   B（Y社社員）：②都合が悪いと言ってください。
④了解してください。

   (A is from X company and B is from Y company.)
   A: ① Ask B if some time at the beginning of next week is convenient for him.
   ③ Ask B if Thursday of next week is convenient.
   B . ② Tell A that it is inconvenient.
   ④ Tell A that Thursday is fine.

3. A（X社社員）：①木曜日の何時ごろがいいか聞いてください。
③3時ごろはどうかと聞いてください。
   B（Y社社員）：②木曜日なら何時でもいいと言ってください。
④了解してください。

   (A is from X company and B is from Y company.)
   A: ① Ask B what time on Thursday is convenient for him.
   ③ Ask B if around 3 o'clock is convenient.
   B: ② Tell A that any time on Thursday is all right.
   ④ Tell A that the time is fine.

第7課　アポイント

4. A（X社社員）：①13日木曜日3時でいいか意向を確認してください。
　　　　　　　　　③Y社のどこに行けばいいか聞いてください。
　　B（Y社社員）：②了解してください。
　　　　　　　　　④自社の3階営業部に来るように言ってください。

　　（A is from X company and B is from Y company.）
　　A：①　Make sure if Thursday the 13th at 3 o'clock is all right.
　　　　③　Ask B where you should go to in Y company.
　　B：②　Say yes.
　　　　④　Tell A to come to the sales department on the 3rd floor of Y company.

5. A（X社社員）：①場所と日時を確認してください。
　　　　　　　　　場所：Y社のビル3階営業部
　　　　　　　　　日時：13日木曜日3時
　　　　　　　　　③お礼を言って、電話を切ってください。
　　B（Y社社員）：②待っていると言ってください。

　　（A is from X company and B is from Y company.）
　　A：①　Confirm the time and place with B.
　　　　　　Place: 3rd floor of Y company
　　　　　　Time and date: 3 o'clock on Thursday the 13th
　　　　③　Thank B and hang up.
　　B：②　Tell A that you are expecting him.

第7課　アポイント

STAGE 2

会話1　アポイントを取る　Making an appointment

A：X社社員
B：Y社社員

1. CDを聴いて、質問に答えてください。
   1) アポイントの日時はどうなりましたか。
   2) 場所はどこですか。

2. もう一度CDを聴いてください。

3. 会話を完成してください。

A：新製品についてお聞きしたいことがございますので、(①アポイントを申し入れる)
　　＿＿＿＿＿＿＿＿＿＿＿＿＿＿＿。

B：ええ、いいですよ。

A：では、いつ(②都合を聞く)＿＿＿＿＿＿＿＿＿＿＿＿＿。

B：そうですねえ。

A：木曜日あたり(③意向を尋ねる)＿＿＿＿＿＿＿＿＿＿＿＿＿。

B：ええ、木曜日(④条件付きで受ける)＿＿＿＿＿＿＿＿＿＿＿＿＿。

A：木曜日の何時ごろ(⑤都合を聞く)＿＿＿＿＿＿＿＿＿＿＿＿＿。

B：そうですね。1時ごろ(⑥意向を尋ねる)＿＿＿＿＿＿＿＿＿＿＿＿＿。

A：はい。それでは、7日木曜日の1時(⑦意向を確認する)＿＿＿＿＿＿＿＿＿＿＿＿＿。

B：ええ。

A：御社のどちらに伺いましょうか。

B：私どもの3階、商品開発部にお越しください。

A：では御社の3階、商品開発部に7日木曜日の1時(⑧内容を確認する)＿＿＿＿＿＿＿＿＿＿＿。

B：はい、お待ちしております。

A：ありがとうございました。(⑨電話を切る)＿＿＿＿＿＿＿＿＿＿＿＿＿。

開発　かいはつ　development

第7課　アポイント

4. もう一度 CD を聴いて、自分の書いた表現と比べてください。
5. ロールプレイ

A：X社社員 (From X company)	B：Y社社員 (From Y company)
①共同開発の件について相談したいことがあるので、Bにアポイントを申し入れてください。 You want to talk about a joint development plan with B. Ask him if you can make an appointment.	②Aのアポイントの申し入れを受けてください。 Tell A that he can.
③都合のいい日を聞いてください。 Ask B when is convenient for him.	④考えてください。 Think about it.
⑤来週の月曜日はどうかと聞いてください。 Ask B if next Monday is convenient.	⑥来週の月曜日だったら大丈夫だと言ってください。 Tell A that next Monday is all right.
⑦何時がいいか聞いてください。 Ask B what time is convenient.	⑧3時ごろはどうか聞いてください。 Ask A if around 3 o'clock is all right.
⑨了解して、日時について意向を確認してください。 Agree to the time and make sure that the time and date are all right.	⑩了解してください。 Tell A that the time and date are fine.
⑪Y社のどこに行けばいいか聞いてください。 Ask B where you should go to in Y company.	⑫自社のビルの302会議室に来るように言ってください。 Tell A to come to meeting room 302 in Y company.
⑬場所と日時を確認してください。 Confirm the time and place with B.	⑭待っていると言ってください。 Tell A that you are expecting him.
⑮お礼を言って、電話を切ってください。 Thank B and hang up.	

第7課　アポイント

会話2　アポイントの日時の変更依頼　Asking to change the date

A：東洋電気　田中
B：ABCコンサルティング　ストーン

1. CDを聴いて、質問に答えてください。
   1) ストーンさんはどうして田中さんに電話をしましたか。
   2) 打ち合わせの日時はどうなりましたか。

2. もう一度CDを聴いてください。

3. 会話を完成してください。

   A：お電話代わりました。田中です。
   B：ABCコンサルティングのストーンでございます。いつもお世話になっております。
   A：こちらこそ、いつもお世話になっております。
   B：＿＿＿（①話を切り出す）＿＿＿、先日お約束いたしました打ち合わせの件なんですが…。
   A：はあ。
   B：木曜日にお約束したと存じますが、急に出張することになりまして、＿＿＿（②丁寧に依頼する）＿＿＿。
   A：来週（③確認する）＿＿＿。月曜日（④条件付きで受ける）＿＿＿。
   B：では、月曜日の3時ごろ＿＿＿（⑤意向を尋ねる）＿＿＿。
   A：ええ、いいですよ。
   B：それでは、来週月曜日3時（⑥意向を確認する）＿＿＿。
   ＿＿＿（⑦謝る）＿＿＿、よろしくお願いいたします。
   A：はい。では、お待ちしておりますので。
   B：＿＿＿（⑧電話を切る）＿＿＿。

4. もう一度CDを聴いて、自分の書いた表現と比べてください。

変更　へんこう　change

第7課　アポイント

5. ロールプレイ

A：X社社員 (From X company)	B：Y社社員 (From Y company)
①電話を代わって、名前を言ってください。 Answer the phone and give your name.	②会社名と名前を言って、あいさつをしてください。 Give your name and that of your company and greet A.
③あいさつをしてください。 Greet B.	④先日約束した打ち合わせの件で電話をしたと言ってください。 Tell A that you called because you want to talk about the meeting arranged the other day.
⑤相づちを打ってください。 Make a response to B.	⑥金曜日に約束をしたが、急な用事が入ってしまったので、来週の中ごろへの変更を依頼してください。 Ask A if he can change the date to some time in the middle of next week because urgent business has come up on the Friday you and A arranged to meet.
⑦来週の中ごろと確認して、木曜日だったらいいと言ってください。 Make sure it is some time in the middle of next week. Tell B that Thursday is all right.	⑧木曜日の10時はどうかと聞いてください。 Ask A if Thursday at 10 o'clock is all right.
⑨了解してください。 Tell B that the time is fine.	⑩日時について意向を確認して、変更したことを謝ってください。 Make sure if the time and date are all right and apologize to A for any inconvenience caused.
⑪待っていると言ってください。 Tell B that you will be expecting him.	⑫電話を切ってください。 Hang up the telephone.

第7課　アポイント

会話3　アポイントの時間の変更依頼　Asking to change the time

A：東洋電気　田中
B：東西証券　リー

1. CDを聴いて、質問に答えてください。
   1) 打ち合わせの日時はどうなりましたか。

2. もう一度CDを聴いてください。

3. 会話を完成してください。
   A：大変お待たせいたしました。田中です。
   B：東西証券のリーでございます。いつもお世話になっております。
   A：こちらこそ、どうも。
   B：＿＿＿＿＿（①話を切り出す）＿＿＿＿＿、先日お約束した打ち合わせの件なんですが…。
   A：ええ。
   B：お時間をいただきながら恐縮なんですが、木曜日の10時を11時に変更　（②丁寧に依頼する）＿＿＿＿＿＿＿＿＿。
   A：少々お待ちください。11時ですか。（③断る）＿＿＿＿＿＿＿＿。午後（④条件付きで受ける）＿＿＿＿＿＿＿＿。
   B：そうですか。では午後1時半ごろ（⑤意向を尋ねる）＿＿＿＿＿＿＿＿。
   A：ええ、いいですよ。
   B：ありがとうございます。（⑥謝る）＿＿＿＿＿＿＿＿＿＿。
   A：いえいえ。
   B：それでは、木曜日1時半（⑦確認する）＿＿＿＿＿＿＿。
   A：はい、承知いたしました。
   B：＿＿＿＿＿（⑧電話を切る）＿＿＿＿＿。

4. もう一度CDを聴いて、自分の書いた表現と比べてください。

〜ながら　though　　恐縮なんですが　きょうしゅくなんですが　I'm sorry to trouble you, but...

5. ロールプレイ

A：X社社員 (From X company)	B：Y社社員 (From Y company)
①待たせたと言って、自分の名前を言ってください。 Apologize to B for having kept him waiting and then tell him your name.	②自分の会社名と名前を言って、あいさつをしてください。 Tell A your name and that of your company and greet him.
③あいさつをしてください。 Greet B.	④先日約束した打ち合わせの件で電話をしたと言ってください。 Tell A that you called because you want to talk about the meeting arranged the other day.
⑤相づちを打ってください。 Make a response to B.	⑥時間をもらったのに恐縮だと言って、月曜日の1時を2時に変更依頼してください。 Apologize to A and ask him if he can change the time from 1 o'clock to 2 o'clock.
⑦時間を確認して、2時は断ってください。そして、午前中なら何時でもいいと言ってください。 Make sure about the time. Tell him that 2 o'clock is not convenient but any time in the morning is fine instead.	⑧10時ごろはどうかと聞いてください。 Ask A if 10 o'clock is all right.
⑨了解してください。 Tell B that the time is fine.	⑩お礼を言って、迷惑をかけたことを謝ってください。 Thank A and apologize for causing him any inconvenience.
⑪否定してください。 Tell B to think nothing of it.	⑫月曜日10時ということを確認してください。 Make sure that Monday at 10 o'clock is all right.
⑬わかったと言ってください。 Tell B that that is fine.	⑭電話を切ってください。 Hang up.

迷惑をかける　めいわくをかける　cause inconvenience

第7課　アポイント

STAGE 3

1. アポイントを取る　Making an appointment

A：X社社員
　Y社のBに電話をして、打ち合わせの件でアポイントを取ってください。今日は6月12日（月曜日）として、下のスケジュールを見ながらBと話し合ってください。

A：From X company
Call B from Y company and make an appointment to meet him. Today is Monday, June 12. Looking at the schedule below, arrange an appointment.

B：Y社社員
　Aから打ち合わせの件で電話があります。今日は6月12日（月曜日）として、下のスケジュールを見ながらアポイントの日時を決めてください。

B：From Y company
A calls you about a meeting. Today is Monday, June 12. Looking at the schedule below, decide when to meet.

JUNE	
12 MON	
13 TUE	10:00 会議
14 WED	3:00 打ち合わせ
15 THU	
16 FRI	
17 SAT	

6月　JUNE	
12 MON (月)	
13 TUE (火)	1:00 コスモ商事
14 WED (水)	出張
15 THU (木)	↓
16 FRI (金)	
17 SAT (土)	

2. アポイントの変更　Changing an appointment

A：X社社員

今日は6月15日(木)です。Y社のBと明日16日(金)に会う約束をしましたが、都合が悪くなりました。来週に約束を変更してください。来週のスケジュールは下のとおりです。

A : From X company

Today is Thursday, June 15. You have made an appointment with B from Y company for tomorrow, but this has become inconvenient. Change your appointment to a date next week. Your schedule for next week is below.

B：Y社社員

今日は6月15日(木)です。X社のAと明日16日(金)に会う約束がありますが、Aから変更の依頼の電話がありますので、依頼を受けてください。来週のスケジュールは下のとおりです。

B : From Y company

Today is Thursday, June 15. You have an appointment with A from X company tomorrow. You receive a call from A asking to change the appointment. Agree to his request. Your schedule for next week is below.

JUNE	
19 MON	10:00　ベストコンピューター訪問
20 TUE	
21 WED	1:00　会議
22 THU	
23 FRI	
24 SAT	

6月　JUNE	
19 MON (月)	
20 TUE (火)	出張
21 WED (水)	↓
22 THU (木)	↓
23 FRI (金)	10:30　打ち合わせ
24 SAT (土)	

第7課　アポイント

3. アポイントを取って、その後変更する　Making an appointment and then changing it

A

1. 自分の来週のスケジュールを下に書いてください。その後でBに電話をして、見積もりの件でアポイントを取ってください。
2. 約束した日が都合が悪くなりました。Bに電話をして、日にちの変更を依頼してください。

A
1. Write down your own schedule for next week. Then call B and make an appointment with him to discuss an estimate.
2. Something has come up on the day of your appointment. Call A and ask to change the date.

B

1. 自分の来週のスケジュールを下に書いてください。Aから電話があります。下のスケジュールを見て、アポイントの日時を決めてください。
2. Aから電話があります。内容を聞いて、変更の依頼を受けてください。

B
1. Write down your own schedule for next week. A calls you. Looking at your schedule, arrange to meet him.
2. A calls again. Listen to what he says and agree to his request.

MON
TUE
WED
THU
FRI
SAT

MON（月）
TUE（火）
WED（水）
THU（木）
FRI（金）
SAT（土）

STAGE 4

会社の人がアポイントを取っている時、どんな言い方をしていましたか。下に会話を書いてください。

第7課　アポイント

他社訪問

　他社を訪問する時には、事前に訪問の約束をすることが多いですが、これを「アポイントを取る」とか「アポを取る」と言います。アポイントを取らないで訪問すると、先方の担当者がいなかったり、担当者に時間がなくてゆっくり話ができないということがあります。
　また、訪問の時間に遅れるのはマナーに反します。少し早めに、余裕を持って訪問すれば、落ち着いて商談ができるでしょう。
　そして商談が進んできて取引先の担当責任者（部長以上）に会う時には、こちら側も部長以上の責任者が同行してあいさつをするのが普通です。責任者同士のあいさつが商談を次の段階に進める働きがあるからです。

Vocabulary

事前	じぜん	beforehand
約束	やくそく	appointment
反する	はんする	be against
余裕	よゆう	margin
落ち着いて	おちついて	in a relaxed manner
取引先	とりひきさき	business connections
責任者	せきにんしゃ	person in charge, person responsible
こちら側	こちらがわ	this side
〜以上	いじょう	higher than
同行する	どうこうする	accompany
段階	だんかい	level
働き	はたらき	function

第8課
Proposals and Offers of Help
提案・申し出

　提案する時は、全体の目的や流れを把握し、他の人の意見をよく聞いてから自分の意見を言うようにしましょう。この場合、結論を先に言うのも、ビジネスの場では必要なテクニックであることを覚えておきましょう。

第8課　提案・申し出

STAGE 1

社内

1. 申し出る　Offering help

(1) 受ける　Accepting

CD 62
A：大変そうですね。①手伝いましょうか。
B：ありがとう。助かります。

練習1　1)　①代わり（ましょうか）
　　　　2)　①ワープロ打ち、半分手伝い（ましょうか）
　　　　3)　①この書類、片付け（ましょうか）

練習2　A（同僚）：（Bが講演会の資料を100部コピーしなければならなくて）大変そうです。手伝いを申し出てください。
　　　　B（同僚）：申し出を受けてください。

（A and B are colleagues.）
A：B looks very busy because he must photocopy 100 copies of a handout for a lecture. Offer to help him.
B：Accept A's offer.

(2) 断る　Declining

CD 63
A：大変そうですね。①手伝いましょうか。
B：ありがとう。でも、大丈夫ですから。

練習1　1)　①代わり（ましょうか）
　　　　2)　①ワープロ打ち、半分手伝い（ましょうか）
　　　　3)　①この書類、片付け（ましょうか）

p. 121　全体　ぜんたい　whole　　目的　もくてき　purpose　　流れ　ながれ　flow　　把握する　はあくする　grasp　　意見　いけん　opinion　　結論　けつろん　conclusion　　必要な　ひつような　necessary　　テクニック　technique　　覚える　おぼえる　remember

第8課　提案・申し出

練習2　A（同僚）：（Bが講演会の資料を100部コピーしなければならなくて）大変そうです。手伝いを申し出てください。
　　　　B（同僚）：申し出を断ってください。

(A and B are colleagues.)
A: B looks very busy because he must photocopy 100 copies of a handout for a lecture. Offer to help him.
B: Decline A's offer.

2. 会議で提案する　Making a proposal at a meeting

CD 64

A：この件について、何か意見がありますか。
B：もう少し①他社の情報収集をしたらどうでしょうか。

練習1　1)　①宣伝方法を見直し（たら）
　　　　2)　①価格を検討し（たら）

練習2　A（会議の司会者）：新型パソコンのキャンペーンについて意見を求めてください。
　　　　B（会議の参加者）：店頭でデモンストレーションをしたらどうかと提案してください。

(A is chairperson and B is a participant.)
A: Ask the participants for their opinions of the advertising campaign for a new PC.
B: Propose that the company should give PC demonstrations in shops.

▶ロールプレイ

1.　A（同僚）：（Bは今日中に見積書を何枚も作成しなければなりません。）大変そうなので、計算の手伝いを申し出てください。
　　B（同僚）：申し出を断ってください。

(A and B are colleagues.)
A: B has to finish many estimates today. He looks very tired. Offer to help him.
B: Decline A's offer.

他社　たしゃ　other company　　情報　じょうほう　information　　収集　しゅうしゅう　collecting
宣伝　せんでん　advertising　　方法　ほうほう　way, method　　見直す　みなおす　reconsider
司会者　しかいしゃ　chairperson　　キャンペーン　campaign　　参加者　さんかしゃ　participant
店頭　てんとう　in a shop　　デモンストレーション　demonstration　　何枚も　なんまいも　many

第8課　提案・申し出

2. A（会議の司会者）：中国に支店を出すことについて意見を求めてください。
　　B（会議の参加者）：現地の景気の見通しをもっと詳しく分析したらどうかと提案してください。

(A is chairperson and B is a participant.)
A: Ask the participants for their opinions of establishing a branch office in China.
B: Propose that the company should analyze in detail business forecasts for China.

3. A（同僚）：（Bは今日中に原稿を500枚ぐらい校正しなければなりません。）大変そうなので、校正を半分すると申し出てください。
　　B（同僚）：申し出を受けてください。

(A and B are colleagues.)
A: B has to proofread about 500 pages. He looks very busy. Offer to help by proofreading half the pages.
B: Accept A's offer.

社外

1. 申し出る　Offering help

(1) 受ける　Accepting

CD 65

A：よろしければ、①会場を手配いたしましょうか。
B：そうしていただけるとありがたいです。

練習1　1)　①私どもでお引き受け（いたしましょうか）
　　　　2)　①先方に催促（いたしましょうか）

練習2　A（X社社員）：タクシーを手配すると申し出てください。
　　　　B（Y社社員）：申し出を受けてください。

(A is from X company and B is from Y company.)
A: Tell B that X company will arrange for a taxi.
B: Accept A's offer.

支店　してん　branch office　　現地　げんち　the place　　景気　けいき　business　　見通し　みとおし　prospect　　分析する　ぶんせきする　analyze　　原稿　げんこう　manuscript　　校正する　こうせいする　proofread　　会場　かいじょう　meeting place　　手配する　てはいする　arrange　　先方　せんぽう　the other company　　催促する　さいそくする　ask, urge

第8課　提案・申し出

(2) 断る　Declining

CD 66

A：よろしければ、①会場を手配いたしましょうか。
B：せっかくですが、私どもでいたしますので。

練習1　1)　①私どもでお引き受け（いたしましょうか）
　　　　2)　①先方に催促（いたしましょうか）
練習2　A（X社社員）：タクシーを手配すると申し出てください。
　　　　B（Y社社員）：申し出を断ってください。

(A is from X company and B is from Y company.)
A：Tell B that X company will arrange for a taxi.
B：Decline A's offer.

2. 合同会議で提案する　Making a proposal at a joint meeting

CD 67

A：共同プロジェクトについて、何かご意見がございますか。
B：①もう少しスケジュールを早めたらいかがでしょうか。

練習1　1)　①消費者のニーズ分析をし（たら）
　　　　2)　①ターゲットを10代の若者に絞っ（たら）
練習2　A（X社社員）：（共同開発した商品の）宣伝方法について意見を求めてください。
　　　　B（Y社社員）：まず他社の宣伝方法を分析したらどうかと提案してください。

(A is from X company and B is from Y company.)
A：(At a joint meeting of X and Y companies)
　　Ask the participants for their opinions concerning how to advertise the product which your two companies have jointly developed.
B：Propose that the companies should analyze the ways other companies have advertised.

消費者　しょうひしゃ　consumer　　ニーズ　needs　　ターゲット　target　　10代　じゅうだい　one's teens
若者　わかもの　young people　　絞る　しぼる　aim at

第8課　提案・申し出

▶ロールプレイ

1. A（X社社員）：ABCコンサルティングのストーンさんを紹介すると申し出てください。
   B（Y社社員）：申し出を受けてください。

   (A is from X company and B is from Y company.)
   A: Offer to introduce B to Mr. Stone of ABC Consulting.
   B: Accept A's offer.

2. A（X社社員）：（共同開発する）車のデザインについて意見を求めてください。
   B（Y社社員）：クラシックなデザインにしたらどうかと提案してください。

   (A is from X company and B is from Y company.)
   A: Ask for opinions concerning the design of a car X company and Y company are jointly developing.
   B: Suggest that it should have a classical design.

3. A（X社社員）：ABCコンサルティングに連絡すると申し出てください。
   B（Y社社員）：申し出を断ってください。

   (A is from X company and B is from Y company.)
   A: Offer to contact ABC Consulting.
   B: Decline A's offer.

デザイン　design　　クラシックな　classical

第8課　提案・申し出

STAGE 2

[社内]

会話1　上司への申し出　Offering to help a superior
A：上司
B：部下　ジョーンズ

1. CDを聴いて、質問に答えてください。
   1) ジョーンズさんはどうして佐々木支社長を知っていますか。
   2) 成田への出迎えはジョーンズさんが行きますか。
   3) それはどうしてですか。

2. もう一度CDを聴いてください。

3. 会話を完成してください。
   A：ジョーンズさん、来週金曜日にサンフランシスコ支社の佐々木支社長が日本にいらっしゃることになったの。
   B：ああ、佐々木支社長ですか。わたしもアメリカにいた時にはいろいろお世話になりました。懐かしいですね。もうあれから、5年になります。
   A：それで、金曜日にうちの課で飲み会でもやろうと思っているんだけど…。
   B：ええ、いいですねえ。よろしかったら、(①申し出る)_____。
   A：ああ、(②受ける)_____。あと、成田への出迎えなんだけど…。
   B：では、それも(③積極的に申し出る)_____。
   A：いやあ、ジョーンズさんは幹事で大変だから、木村さんに頼むわ。ありがとう。

4. もう一度CDを聴いて、自分の書いた表現と比べてください。

出迎え　でむかえ　pick-up　　懐かしい　なつかしい　That takes me back.　　あれから　from that time
積極的に　せっきょくてきに　willingly　　幹事　かんじ　organizer

127

第8課　提案・申し出

5. ロールプレイ

A：上司 (Superior)	B：部下 (Subordinate)
①来月初め、部でゴルフコンペが行われることになったと言ってください。 Tell B that there will be an inter-departmental golf competition at the beginning of next month.	②部のゴルフコンペかと確認して、3年前に一度参加したことがあると言ってください。 Confirm that it is the department's golf competition. Tell A that you took part in it three years ago.
③今回はうちの課で幹事をすることになったと言ってください。 Tell B that your section has been assigned the job of arranging the competition.	④おもしろそうだと言った後で、自分が幹事をすると申し出てください。 Tell A that you are interested and offer to do the job.
⑤申し出を受けた後で、会員の名簿作成の仕事もあると言ってください。 Accept B's offer and tell him that you need to make a members' list.	⑥名簿作成も自分がやると申し出てください。 Offer to make the members' list as well.
⑦Bはゴルフの幹事で大変だから、松本さんに頼むと言ってください。 Tell B that you will ask Mr. Matsumoto to make the members' list, since B will be very busy with the job he's been assigned.	

名簿　めいぼ　name list

第8課　提案・申し出

会話2　同僚への申し出　Offering to help a colleague
A：同僚
B：同僚　鈴木

1. CDを聴いて、質問に答えてください。
   1) 鈴木さんは申し出をすぐに受けましたか。
   2) それはどうしてですか。

2. もう一度CDを聴いてください。

3. 会話を完成してください。
   A：鈴木さん。会議の資料、もう出来上がった。
   B：それが、思ったより時間がかかるのよ。
   A：そう。3時の会議に間に合う。
   B：うん、まあ。何とか…。
   A：今、1時半だから、ちょっとぎりぎりになりそうだねえ。よかったら、(①申し出る)＿＿＿＿＿。
   B：ううん、そんな。(②遠慮する)＿＿＿＿＿。
   A：遠慮することないよ。今、手が空いているから。
   B：(③受ける)＿＿＿＿＿。じゃあ、資料3からなんだけど…。

4. もう一度CDを聴いて、自分の書いた表現と比べてください。

出来上がる　できあがる　be completed　　ぎりぎりになる　be done just before the deadline　　手が空く　てがあく　be free

第8課　提案・申し出

5. ロールプレイ

A：同僚 (Colleague of B's)	B：同僚 (Colleague of A's)
①ワープロ打ちがもう出来上がったかどうか聞いてください。 Ask B if she has finished word processing a report.	②思ったより時間がかかると言ってください。 Tell A that it will take more time than you expected.
③1時の会議までに間に合うかどうか聞いてください。 Ask B if she can finish it by the one o'clock meeting.	④何とかなると言ってください。 Tell A that you think you can manage it.
⑤今、11時半だから、ぎりぎりになりそうだと言って、手伝いを申し出てください。 It is 11:30. Tell B she will barely be in time. Offer to help her.	⑥遠慮してください。 Hesitate to accept A's offer.
⑦自分は今、手が空いていると言ってください。 Tell B that you have time now.	⑧申し出を受けてください。 Accept A's offer.

第8課　提案・申し出

社外

会話　合同会議（ごうどうかいぎ）　Joint meeting
CD70
　　A：司会者（しかいしゃ）
　　B：第一工業社員（だいいちこうぎょうしゃいん）
　　C：東洋電気社員（とうようでんきしゃいん）

1. CDを聴（き）いて、質問（しつもん）に答（こた）えてください。
　1)　どんな提案（ていあん）が出（で）ましたか。
　2)　また、それに対（たい）して他（ほか）の人（ひと）は何（なん）と言（い）いましたか。

2. もう一度（いちど）CDを聴（き）いてください。

3. 会話（かいわ）を完成（かんせい）してください。
　A：それでは、今回（こんかい）の高齢者（こうれいしゃ）のニーズ調査（ちょうさ）（①意見を求める）_____。
　B：調査（ちょうさ）の結果（けっか）から見（み）て、使（つか）いやすさを第一（だいいち）に考（かんが）えなければならないと思（おも）いますが、安全性（あんぜんせい）や、価格（かかく）についても（②提案する）_____。
　A：ただ今（いま）の第一工業（だいいちこうぎょう）さんのご提案（ていあん）（③意見を求める）_____。
　C：確（たし）かに安全性（あんぜんせい）や価格（かかく）について考（かんが）えておくことは大切（たいせつ）ですね。

4. もう一度（いちど）CDを聴（き）いて、自分（じぶん）の書（か）いた表現（ひょうげん）と比（くら）べてください。

調査　ちょうさ　survey　　求める　もとめる　ask for　　安全性　あんぜんせい　safety

第8課　提案・申し出

5.　ロールプレイ

A：司会者(しかいしゃ) (Chairperson)	B：X社社員(しゃしゃいん) (From X company)	C：Y社社員(しゃしゃいん) (From Y company)
X社とY社は共同出資(きょうどうしゅっし)して中国(ちゅうごく)にデパートを設立(せつりつ)するために会議(かいぎ)で話(はな)し合(あ)っています。 At a meeting X company and Y company are talking about setting up a joint venture in order to establish a department store in China.		
①中国(ちゅうごく)での従業員(じゅうぎょういん)の採用(さいよう)について、意見(いけん)を求(もと)めてください。 Ask the participants for their opinions concerning employing workers for the department store in China.	②開店(かいてん)1年目(ねんめ)は従業員(じゅうぎょういん)の60％を日本(にほん)から派遣(はけん)しなければならないと思(おも)うが、2年目(ねんめ)から現地(げんち)の人(ひと)の採用(さいよう)を増(ふ)やしていったらどうかと提案(ていあん)してください。 Say you think that you should send Japanese employees for the first year, who will make up 60% of all the employees in the department store. Then propose increasing the number of local employees from the second year onwards.	
③Bの提案(ていあん)について、Cに意向(いこう)を尋(たず)ねてください。 Ask C what he thinks of B's proposal.		④確(たし)かに現地(げんち)の人(ひと)の採用(さいよう)は重要(じゅうよう)だと言(い)ってください。 Say that it is certainly important to employ local workers.

出資　しゅっし　investment　　設立する　せつりつする　establish　　従業員　じゅうぎょういん　employee
開店　かいてん　opening　　派遣する　はけんする　dispatch　　増やす　ふやす　increase

第8課　提案・申し出

STAGE 3

1. **歓迎会の幹事**　Offering to help a superior

   A：上司
   本社から新しい部長として井上部長が来ることになりました。歓迎会を開く予定です。また、井上部長のパソコンも準備しなければなりません。Bに話してください。

   A：Superior
   Mr. Inoue will be transferred from the head office as the new general manager. You are planning a welcome party for him. Also you have to prepare for Mr. Inoue's arrival by getting him a PC. Discuss both matters with B.

   B：部下
   井上部長には新人の時に、お世話になりました。Aの話を聞いた後で、手伝いを申し出てください。

   B：Subordinate
   As Mr. Inoue helped you when you first joined the company, listen to what A says and then offer to help him.

開く　ひらく　hold　　新人　しんじん　newcomer

第8課　提案・申し出

2. 同僚への申し出　Offering to help a colleague

A：同僚

同僚のBは明日ワールド物産に持っていく見積書の作成で大変そうです。またコスモ商事でのプレゼンテーションの準備もあります。手伝いを申し出てください。

A : Colleague of B's

B, your colleague, is very busy working on an estimate he will take to the World Trading Company tomorrow. He also has to prepare for a presentation at the Cosmo Trading Company. Offer to help him.

B：同僚

明日ワールド物産に持っていく見積書の作成で大変です。またコスモ商事でのプレゼンテーションの準備もあります。Aの申し出に応対してください。

B : Colleague of A's

You are very busy working on an estimate you will take to the World Trading Company tomorrow. You also have to prepare for a presentation at the Cosmo Trading Company. Respond to A's offer.

プレゼンテーション　presentation

3. 車の共同開発　Making proposals at a meeting

A：司会者
X社とY社は車の共同開発について、合同会議をしています。開発する車のコンセプトについて、意見を求めてください。

A：Chairperson
X and Y companies are talking about the joint development of a car at a meeting. Ask the participants for ideas for the car.

B：X社社員
X社とY社は車の共同開発をすることになりました。下のデータを見て、提案してください。

B：From X company
X and Y companies will jointly develop a car. Make proposals after reading the data below.

C：Y社社員
X社とY社は車の共同開発をすることになりました。右のデータを見て、Bの意見を聞いた後で、自分の意見を言ってください。

C：From Y company
X and Y companies will jointly develop a car. Listen to B's proposal first and then express your own opinion after reading the data on the right.

「未来の車に期待するもの」
20代男女1,000人に聞く（複数回答あり）

デザイン　Design	950
機能性　Functions	800
低価格　Price	770
安全性　Safety	750
耐久性　Durability	500
小型化　Size	300

（人）

コンセプト　concept　　自分の　じぶんの　one's own　　未来　みらい　future　　期待する　きたいする　expect　　複数回答　ふくすうかいとう　multiple answers

第8課　提案・申し出

STAGE 4

1. 他の人が仕事で大変な時、その手伝いを申し出たことがありますか。あったら、その時に言ったり聞いたりした表現を書いてください。

2. 会議に出席して、何か提案したことがありますか。また他の人が提案しているところを聞いたことがありますか。あったら、その時に言ったり聞いたりした表現を書いてください。

第8課　提案・申し出

提案を通すための根回し

　日本の会社では、仕事の会話として命令形が直接使われることは少なく、婉曲表現が多く使われます。特に、上司や社外の人に提案する場合には「〜してはいかがでしょうか」とか、「〜と思いますが…」のような丁寧な表現が使われます。また、日本の会社で提案する場というのは、多数を相手に話す会議の場ではないことを覚えておいたほうがよいでしょう。会議で自分の提案を通すためには、会議の前に関係者とよく話し合って、みんなの合意を取っておかなければなりません。これは「根回し」という言葉で有名ですが、「根回し」は1対多数よりも1対1が多く、それだけに提案する時の相手に対する印象も重要です。ですから丁寧な表現や謙遜する表現も必要になるのです。

Vocabulary

通す	とおす	pass
根回し	ねまわし	groundwork
命令形	めいれいけい	imperative form
婉曲表現	えんきょくひょうげん	roundabout expression
丁寧な表現	ていねいなひょうげん	polite expression
関係者	かんけいしゃ	person concerned
合意を取る	ごういをとる	get agreement
対	たい	versus
多数	たすう	a large number
相手	あいて	partner in conversation
謙遜する表現	けんそんするひょうげん	humble expression

語彙索引

—あ—

あいかわらず（相変わらず）	17
あいづちをうつ（相づちを打つ）	9
あいて（相手）	49
あきらめる	42
あたり	105
アポイントをとる（アポイントを取る）	103
あやまる（謝る）	8
ありがたい	70
アルファやくひん（アルファ薬品）	17
あれから	127
あんぜんせい（安全性）	131

—い—

いけん（意見）	121
いこう（意向）	34
いそぎ（急ぎ）	50
いらい（依頼）	45
いんちょう（院長）	60

—う—

うけつけ（受付）	8
うけつけ（受付）	9
うける（受ける）	45
うちあわせ（打ち合わせ）	39
うちのぶ（うちの部）	2
うりだす（売り出す）	60

—え—

えいぎょうぶ（営業部）	2
えんき（延期）	61
えんりょする（遠慮する）	78

—お—

おうせつしつ（応接室）	27
おうせつセット（応接セット）	45
おうたいする（応対する）	11
おうたいする（応対する）	17
おえる（終える）	6
オードブル	70
おかげさまで	20
おかまいなく（お構いなく）	71
おかわりありませんか（お変わりありませんか）	20
おこしください（お越しください）	106
おこなう（行う）	13
おちついた（落ち着いた）	80
おとこどうし（男同士）	24
おぼえる（覚える）	121
おんしゃ（御社）	69
おんなどうし（女同士）	24

—か—

かいさいする（開催する）	59
かいじょう（会場）	124
かいてん（開店）	132
かいはつ（開発）	110
かいひ（会費）	81
かえす（返す）	88
かかく（価格）	54
かかりちょう（係長）	4
かきおわる（書き終わる）	17
かくだい（拡大）	59
かくにんする（確認する）	8
かしかり（貸し借り）	42
かたづける（片付ける）	25
カタログ	45
かちょう（課長）	4
かならず（必ず）	103

語彙索引

かなり	55
からだのちょうし（体の調子）	22
かるいざわ（軽井沢）	79
かわる（代わる）	84
かんげいかい（歓迎会）	13
かんじ（幹事）	127
かんしゃする（感謝する）	22
かんせいする（完成する）	6
かんれんがいしゃ（関連会社）	69

－き－

きかく（規格）	78
きかく（企画）	104
きかくしょ（企画書）	57
きかくぶ（企画部）	3
きげん（期限）	61
きしゃ（帰社）	99
ぎじゅつぶ（技術部）	56
きたいする（期待する）	135
きねんした（記念した）	59
きびしい（厳しい）	20
きぼ（規模）	55
キャンペーン	123
きょうじゅうに（今日中に）	24
きょうしゅくなんですが（恐縮なんですが）	114
きょうどう（共同）	55
きょかねがい（許可願い）	40
きりあげる（切り上げる）	19
ぎりぎりになる	129
きりだす（切り出す）	26

－く－

ぐたいてきに（具体的に）	93
クラシックな	126
グラフ	50
くらべる（比べる）	7
くわしい（詳しい）	74

－け－

けいかく（計画）	59
けいかくする（計画する）	77
けいき（景気）	124
けいさん（計算）	50
けいやく（契約）	52
けっきんする（欠勤する）	22
けっこう（結構）	26
けってい（決定）	55
けつろん（結論）	121
けん（件）	26
げんこう（原稿）	124
けんしゅうせい（研修生）	3
けんしゅうをうける（研修を受ける）	2
けんせつか（建設課）	106
げんち（現地）	124
けんとうする（検討する）	52

－こ－

こうえんかい（講演会）	68
こうか（効果）	59
こうし（講師）	81
こうせいする（校正する）	124
ごうどうかいぎ（合同会議）	29
こうにゅうする（購入する）	52
こうほう（広報）	4
こうれいしゃ（高齢者）	78
こえをかける（声をかける）	28
こえをかける（声をかける）	78
こじんてきな（個人的な）	65
コスト	77
コスモしょうじ（コスモ商事）	4
ことわる（断る）	47
このところ	75
このへん（この辺）	26
ごぶさたしております	20
コミュニケーション	56
ゴルフコンペ	66
コンセプト	135

こんだんかい（懇談会）	69

－さ－

さいかいする（再会する）	19
ざいこ（在庫）	50
さいそくする（催促する）	124
さいよう（採用）	104
さきに（先に）	1
さきほど（先ほど）	93
さくげん（削減）	77
さくせい（作成）	18
さげる（下げる）	54
さっき	68
ざつだん（雑談）	13
さようでございますか	8
さんかしゃ（参加者）	123
さんかする（参加する）	69
さんこう（参考）	24
サンプル	39

－し－

しあい（試合）	74
しあん（試案）	78
じかい（次回）	39
しかいしゃ（司会者）	123
しかたなく	57
じぎょう（事業）	55
じこしょうかいする（自己紹介する）	1
しさつ（視察）	69
しじ（指示）	55
ししゃ（支社）	2
じしゃ（自社）	47
ししゃちょう（支社長）	5
したしい（親しい）	60
じっさいに（実際に）	63
してん（支店）	124
してんちょう（支店長）	4
しばらく	45
しばらくして	8

じぶんの（自分の）	135
しぼる（絞る）	125
しゃ（社）	95
しゃがい（社外）	1
しゃない（社内）	1
しゃようトラック（社用トラック）	35
じゅうぎょういん（従業員）	132
しゅうしゅう（収集）	123
じゅうだい（10代）	125
じゅうような（重要な）	30
しゅさい（主催）	72
しゅっし（出資）	132
しゅっしゃじ（出社時）	28
しゅっしゃする（出社する）	16
しゅっせきする（出席する）	72
しゅっぴん（出品）	59
しゅにん（主任）	55
しょうけんがいしゃ（証券会社）	7
じょうけんつき（条件付き）	44
じょうし（上司）	22
しようじかん（使用時間）	35
しょうたいする（招待する）	65
しょうちいたしました（承知いたしました）	44
しょうにんする（承認する）	94
しょうひしゃ（消費者）	125
しょうひん（商品）	39
じょうほう（情報）	123
じょうむ（常務）	53
しょくば（職場）	11
しょるい（書類）	18
しりょう（資料）	17
じんかく（人格）	83
しんじん（新人）	133
しんにゅうしゃいん（新入社員）	6

－す－

ずいぶん	23
スケジュールをたてる（スケジュールを立てる）	26

すすめる（進める）	15	たずねる（訪ねる）	8
すすめる（勧める）	67	たずねる（尋ねる）	34
		ただいま（ただ今）	8
―せ―		たちいりきんし（立入禁止）	39
		たのむ（頼む）	40
せいさん（生産）	78	たまには	73
せいひん（製品）	52	たんとう（担当）	4
せいり（整理）	17		
せきをはずす（席をはずす）	86	―ち―	
せっきょくてきに（積極的に）	127		
せってい（設定）	105	チェック	50
せつめいかい（説明会）	59	ちゅうしゃじょう（駐車場）	26
せつりつする（設立する）	132	ちょうさ（調査）	131
せんじつ（先日）	19	ちょくせつ（直接）	38
ぜんじつ（前日）	22		
ぜんたい（全体）	121	―つ―	
せんでん（宣伝）	123		
せんぽう（先方）	124	つうやく（通訳）	40
せんむ（専務）	38	つかいわけ（使い分け）	83
せんやく（先約）	67	つきあいをする	65
		つごう（都合）	40
―そ―		つごうがわるい（都合が悪い）	66
		つたえる（伝える）	85
そういうことで	19	つまみ	70
そうそう	44		
そうたいする（早退する）	23	―て―	
そうだんする（相談する）	84		
そうむぶ（総務部）	3	ていあん（提案）	94
そうりつ30しゅうねん（創立30周年）	59	ていねいな（丁寧な）	49
そのご（その後）	17	データ	50
そのせつ（その節）	20	てがあく（手が空く）	129
そろえる	50	てがはなせない（手が離せない）	51
そろそろ	19	できあがる（出来上がる）	129
		てきとう（適当）	13
―た―		テクニック	121
		デザート	72
ターゲット	125	デザイン	126
たいしゃじ（退社時）	28	てはいする（手配する）	124
たいしゃする（退社する）	16	でむかえ（出迎え）	127
たしゃ（他社）	123	デモンストレーション	123
たすかる（助かる）	16	てんきんする（転勤する）	2

でんごん（伝言）	85
でんしじしょ（電子辞書）	43
でんたく（電卓）	34
てんとう（店頭）	123
でんぴょう（伝票）	58
でんわにでる（電話に出る）	83
でんわをきる（電話を切る）	97

― と ―

どういする（同意する）	78
とういつする（統一する）	78
どうぎょうしゃ（同業者）	77
とうじつ（当日）	103
とうしゃ（当社）	59
とうぶん（当分）	41
どうりょう（同僚）	3
とおす（通す）	38
とくいさき（得意先）	58
とくちょう（特長）	80
とくに（特に）	83
ところ	19
とりつぐ（取り次ぐ）	84
とりひき（取引）	60
とりひきさき（取引先）	51

― な ―

ないせんでんわ（内線電話）	8
ないよう（内容）	13
〜ながら	114
ながれ（流れ）	121
なつかしい（懐かしい）	127
なんとか（何とか）	17
なんまいも（何枚も）	123

― に ―

ニーズ	125
〜にたいして（〜に対して）	49
にちじ（日時）	103

語彙索引

〜によわい（〜に弱い）	67
にんげんかんけい（人間関係）	15

― ね ―

ねだん（値段）	80
ねつをだす（熱を出す）	28
ねびき（値引き）	63
ねびきりつ（値引き率）	63
ねまわし（根回し）	56

― の ―

〜のほう	17
のみかい（飲み会）	66

― は ―

はあくする（把握する）	121
はげます（励ます）	25
はけんする（派遣する）	132
はじめ（初め）	79
はっぴょうかい（発表会）	72
はなみ（花見）	66
ばらばら	78
はるみ（晴海）	66
はんだんする（判断する）	83
はんばい（販売）	4

― ひ ―

ひかえめに（控え目に）	59
ひきうける（引き受ける）	52
ひつような（必要な）	121
ひょうげん（表現）	7
ひらく（開く）	133

― ふ ―

ファイル	25
ブース	69

語彙索引

ぶか（部下）	4
ふくすうかいとう（複数回答）	135
ふざい（不在）	99
ぶしょ（部署）	84
ぶちょう（部長）	4
ふやす（増やす）	132
プレゼンテーション	134
プロジェクト	18
ぶんせきする（分析する）	124

－へ－

へる（減る）	60
べんきょうかい（勉強会）	81
へんこう（変更）	112
へんこうする（変更する）	35
へんじ（返事）	46

－ほ－

ぼうえきがいしゃ（貿易会社）	6
ほうじんかいいん（法人会員）	71
ほうほう（方法）	123
ほうもんきゃく（訪問客）	26
ほうもんさき（訪問先）	11
ホームページ	66
ほかのひと（他の人）	1
ほりゅう（保留する）	40
ほんしゃ（本社）	2
ほんてん（本店）	2

－ま－

まずい	76
また	1
まとめる	24

－み－

みかける（見かける）	28
みつもりしょ（見積書）	97
みつもりをだす（見積もりを出す）	27
みとおし（見通し）	124
みなおす（見直す）	123
みほんいち（見本市）	59
みらい（未来）	135

－む－

むりをする（無理をする）	22

－め－

めいしこうかん（名刺交換）	13
めいぼ（名簿）	128
めいわくをかける（迷惑をかける）	115
めんかいをもとめる（面会を求める）	8

－も－

もうしいれ（申し入れ）	104
もうしで（申し出）	86
もうしでる（申し出る）	86
モーターショー	66
もくてき（目的）	121
もとめる（求める）	131

－や－

やくそく（約束）	8
やっぱり	75

－ゆ－

ゆそう（輸送）	77

－よ－

よういする（用意する）	57
ようけん（用件）	41
ようじ（用事）	99
よくじつ（翌日）	22

よてい（予定） 75
よやくがはいる（予約が入る） 36
よろこぶ（喜ぶ） 66

－ら－

らいきゃくちゅう（来客中） 85
らいねんど（来年度） 104

－り－

リースする 63
リースりょう（リース料） 63
リフォーム 45
りゆう（理由） 46

りゅうつう（流通） 77
りょうかいする（了解する） 35

－れ－

れいの（例の） 26
れんらく（連絡） 17

－わ－

ワープロうち（ワープロ打ち） 57
わかもの（若者） 125
わかれ（別れ） 44
わかれる（別れる） 19
わだい（話題） 13

著者紹介

米田隆介
神戸市外国語大学英米学科卒業
元神田外語キャリアカレッジ日本語講師
『新装版商談のための日本語』2006　スリーエーネットワーク　共著

藤井和子
津田塾大学学芸学部英文科卒業
『Living Japanese』1995　講談社インターナショナル　共著
『新装版商談のための日本語』2006　スリーエーネットワーク　共著

重野美枝
早稲田大学第一文学部史学科日本史学専修卒業
『完全マスター3級日本語能力試験文法問題対策』2005　スリーエーネットワーク　共著
『新装版商談のための日本語』2006　スリーエーネットワーク　共著
『ひとりでできる初級日本語文法の復習英語版』2010　スリーエーネットワーク　共著
『ひとりでできる初級日本語文法の復習中国語版』2010　スリーエーネットワーク　共著

池田広子
お茶の水女子大学大学院人間文化研究科修士・博士後期課程修了、博士（人文科学）
立教大学講師等を経て、現在目白大学外国語学部および大学院日本語・日本語教育専攻 教授
『新装版商談のための日本語』2006　スリーエーネットワーク　共著
『日本語教師教育の方法』2007　鳳書房
『越境する日本語教師と教師研修』2023　くろしお出版　など

新装版　ビジネスのための日本語

1998年11月30日　初版　第1刷発行
2006年 9月15日　新装版第1刷発行
2024年 6月 6日　新装版第13刷発行

著　者　米田隆介　藤井和子　重野美枝　池田広子
発行者　藤嵜政子
発　行　株式会社　スリーエーネットワーク
　　　　電話　営業　03(5275)2722
　　　　　　　編集　03(5275)2725
　　　　〒102-0083　東京都千代田区麹町3丁目4番
　　　　　　　　　　トラスティ麹町ビル2F
　　　　https://www.3anet.co.jp/
印　刷　倉敷印刷株式会社

ISBN978-4-88319-401-8 C0081

落丁・乱丁本はお取替えいたします。
本書の全部または一部を無断で複写複製（コピー）することは著作権法上での例外を除き、禁じられています。

■ 新しいタイプのビジネス日本語教材

タスクで学ぶ
日本語ビジネスメール・ビジネス文書
適切にメッセージを伝える力の養成をめざして

村野節子、向山陽子、山辺真理子 ● 著
B5判　90頁＋別冊41頁　1,540円（税込）　〔ISBN978-4-88319-699-9〕

ロールプレイで学ぶビジネス日本語
グローバル企業でのキャリア構築をめざして

村野節子、山辺真理子、向山陽子 ● 著
B5判　164頁＋別冊12頁　CD1枚付　2,200円（税込）　〔ISBN978-4-88319-595-4〕

中級レベル
ロールプレイで学ぶビジネス日本語
―就活から入社まで―

村野節子、山辺真理子、向山陽子 ● 著
B5判　103頁＋別冊11頁　CD1枚付　1,870円（税込）　〔ISBN978-4-88319-770-5〕

■ JLRTの攻略

BJTビジネス日本語能力テスト
聴解・聴読解 実力養成問題集 第2版

宮崎道子 ● 監修　瀬川由美、北村貞幸、植松真由美 ● 著
B5判　215頁＋別冊45頁　CD2枚付　2,750円（税込）　〔ISBN978-4-88319-768-2〕

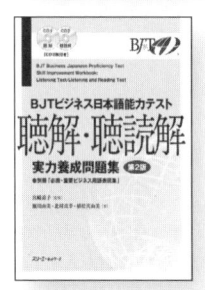

BJTビジネス日本語能力テスト
読解 実力養成問題集 第2版

宮崎道子 ● 監修　瀬川由美 ● 著
B5判　113頁　1,320円（税込）　〔ISBN978-4-88319-769-9〕

スリーエーネットワーク

ウェブサイトで新刊や日本語セミナーをご案内しております。
https://www.3anet.co.jp/

Business
新装版
ビジネスのための日本語
Getting Down to Business: Japanese for Business People

テキストガイド

目　次

第1課　紹介（しょうかい）　Introductions 2
　　STAGE 1 2
　　STAGE 2 4
　　STAGE 3 5
　　STAGE 4 6

第2課　あいさつ　Greetings 8
　　STAGE 1 8
　　STAGE 2 10
　　STAGE 3 12
　　STAGE 4 13

第3課　許可（きょか）　Permission 15
　　STAGE 1 15
　　STAGE 2 17
　　STAGE 3 20
　　STAGE 4 21

第4課　依頼（いらい）　Requests 23
　　STAGE 1 23
　　STAGE 2 25
　　STAGE 3 27
　　STAGE 4 28

第5課　誘（さそ）い　Inviting 29
　　STAGE 1 29
　　STAGE 2 31
　　STAGE 3 33
　　STAGE 4 35

第6課　電話（でんわ）　Telephoning 37
　　STAGE 1 37
　　STAGE 2 39
　　STAGE 3 41
　　STAGE 4 43

第7課　アポイント　Appointments
　　................ 44
　　STAGE 1 44
　　STAGE 2 45
　　STAGE 3 48
　　STAGE 4 49

第8課　提案（ていあん）・申（もう）し出（で）　Proposals and Offers of Help 51
　　STAGE 1 51
　　STAGE 2 53
　　STAGE 3 55
　　STAGE 4 56

第1課　紹介

第1課　紹介(しょうかい) Introductions

STAGE 1

▌社内

1. 自己紹介(じこしょうかい)する　Introducing yourself
   自己紹介する　　〜と申(もう)します。よろしくお願(ねが)いします。
   練習2　A：ロンドン支社(ししゃ)からまいりましたAと申します。よろしくお願いします。
   　　　　B：Bと申(もう)します。こちらこそ、よろしくお願(ねが)いします。

2. 他(ほか)の人(ひと)を紹介(しょうかい)する　Introducing others
   他の人を紹介する　〜さんです。こちらは〜さんです。

   > Note
   > 他の人を紹介する時は、先に目上の人（あるいは遠い関係の人）に、目下の人（あるいは近い関係の人）を紹介する。
   > When introducing two people of different ranks, you should introduce the junior person or person closer to you first.

   練習2　A：（Cに）うちの部(ぶ)のBさんです。
   　　　　　（Bに）こちらはロンドン支社(ししゃ)のCさんです。
   　　　　B：Bです。はじめまして。
   　　　　C：Cです。はじめまして。

▶ロールプレイ
1. A：今日(きょう)からこちらで研修(けんしゅう)を受(う)けることになりましたAと申(もう)します。よろしくお願(ねが)いします。
   B：Bと申(もう)します。こちらこそ、よろしくお願(ねが)いします。
2. A：（Cに）うちの部(ぶ)のBさんです。
   　（Bに）こちらは総務部(そうむぶ)のCさんです。
   B：Bです。はじめまして。
   C：Cです。はじめまして。

▌社外

1. 自己紹介(じこしょうかい)する　Introducing yourself
   自己紹介する　　〜と申(もう)します。どうぞよろしくお願(ねが)いいたします。
   練習2　A：X社のAと申(もう)します。どうぞよろしくお願(ねが)いいたします。
   　　　　B：営業担当(えいぎょうたんとう)のBと申(もう)します。こちらこそ、よろしくお願(ねが)いいたします。

2. 他の人を紹介する　Introducing others

他の人を紹介する　ご紹介します。～です。こちらは～さんです。

> **Note**
> 先に社外の人に、社内の人を紹介する。その際、上司であっても「伊藤課長です」とは言わずに「課長の伊藤です」と紹介する。
> When introducing people from inside and outside your company to each other, you should introduce the person from your company to the other person first.
> 　You should not introduce your section manager as "Ito Kacho desu," but as "Kacho no Ito desu."

名前を言う　　～でございます。

> **Note**
> 初対面であっても相手が自分の名前を知っている場合は、「と申します」ではなく「でございます」と言って名前を言う。
> でございます is used instead of と申します when giving your name to someone who already knows it, even if you are actually meeting them for the first time.

あいさつをする　　（いつも）お世話になっております。

> **Note**
> 初対面であっても会社として付き合いがある場合は、「（いつも）お世話になっております」と言う。
> （いつも）お世話になっております should be used at the beginning of conversations with people from client companies, even if you are meeting them for the first time.

練習2　A：(Cに) ご紹介します。係長のBです。
　　　　　(Bに) こちらは総務担当のCさんです。
　　　　B：Bでございます。いつもお世話になっております。
　　　　C：Cでございます。こちらこそ、お世話になっております。

▶ロールプレイ
1. A：X社のAと申します。どうぞよろしくお願いいたします。
　　B：広報担当のBと申します。こちらこそ、よろしくお願いいたします。
2. A：(Cに) ご紹介します。大阪支社長のBです。
　　　(Bに) こちらは営業担当のCさんです。
　　B：Bでございます。いつもお世話になっております。
　　C：Cでございます。こちらこそ、お世話になっております。

第1課　紹介

STAGE 2

[社内]

会話　**新入社員**　New employee
[場面 situation]　新しい職場で自己紹介し、同僚の質問に答える。
[機能 functions]　自己紹介する　〜と申します。よろしくお願いします。
　　　　　　　　　話を終える　　まあ、とにかくよろしくお願いします。

> Note
> 「まあ、とにかく」は、話を適当なところで切り上げる時に使われる。
> まあ、とにかく is used when you want to finish a conversation.

[解答 answers]　1.　1）2年前。
　　　　　　　　　2）名古屋の貿易会社で仕事をしていた。
　　　　　　　3.　①と申します　よろしくお願いします
　　　　　　　　　②と申します　こちらこそ、よろしくお願いします
　　　　　　　　　③まあ、とにかくよろしくお願いします
　　　　　　　5.　A：今日からお世話になりますAと申します。よろしくお願いします。
　　　　　　　　　B：Bと申します。こちらこそ、よろしくお願いします。Aさんはいつ日本へいらっしゃったんですか。
　　　　　　　　　A：2週間前です。
　　　　　　　　　B：そうですか。日本へ来る前は何をなさっていたんですか。
　　　　　　　　　A：ニューヨークの証券会社で仕事をしていました。
　　　　　　　　　B：そうですか。日本語はどこで勉強なさったんですか。
　　　　　　　　　A：大学で勉強しました。でも、会話の勉強はあまりしなかったんです。これからもっと勉強しないと。
　　　　　　　　　B：そうですか。ここは英語がわからない人が多いですから、頑張ってください。まあ、とにかくよろしくお願いします。わからないことがあったら、何でも聞いてください。
　　　　　　　　　A：ありがとうございます。

[社外]

会話　**訪問**　Company visit
[場面 situation]　他社を訪問し、受付で面会を求める。面会相手が現れたところで、自己紹介し、名刺交換をする。
[機能 functions]　名前を言う　　　　〜と申します。
　　　　　　　　　面会を求める　　　〜にお目にかかりたいんですが。
　　　　　　　　　待たせたことを謝る　どうもお待たせいたしました。
　　　　　　　　　自己紹介する　　　〜でございます。どうぞよろしくお願いいたします。
　　　　　　　　　名前を確認する　　〜でいらっしゃいますね。

第1課　紹介

> **Note**
> 自分の名前を言う時は「～でございます」となり、相手の名前を言う時は「～でいらっしゃいます」となることに気をつける。
> When you say your own name, use でございます. When you say other people's names, use でいらっしゃいます.

[解答 answers]　1.　1)　総務課長の市川さんと会う約束があるから。

3.　①と申します
　　②にお目にかかりたいんですが
　　③どうもお待たせいたしました
　　④でございます　どうぞよろしくお願いいたします。
　　⑤でいらっしゃいますね
　　⑥でございます　こちらこそ、どうぞよろしくお願いいたします

5.　1)　A：いらっしゃいませ。
　　　　B：私、Y社のBと申します。総務部長のC様にお目にかかりたいんですが。
　　　　A：失礼ですが、お約束がございますか。
　　　　B：ええ、4時に。
　　　　A：さようでございますか。少々お待ちください。
　　　　――内線電話でCに連絡する
　　　　A：B様。ただ今、Cがこちらにまいりますので、もう少々お待ちください。
　　　　B：そうですか。どうも。
　　2)　C：どうもお待たせいたしました。
　　　　B：Y社のBでございます。どうぞよろしくお願いいたします。
　　　　C：Bさんでいらっしゃいますね。総務担当のCでございます。こちらこそ、どうぞよろしくお願いいたします。Y社さんは芝公園にあるんですね。
　　　　B：ええ、東京タワーの近くなんです。

STAGE 3

1. 新しい職場で自己紹介する　Introducing yourself at a new office　STAGE 2 社内

　自己紹介する　～と申します。よろしくお願いします。
　話を終える　　まあ、とにかくよろしくお願いします。

A：今日からお世話になりますAと申します。よろしくお願いします。
B：Bと申します。こちらこそ、よろしくお願いします。Aさんはどちらからいらっしゃったんですか。
A：オーストラリアです。
B：そうですか。オーストラリアのどちらですか。
A：シドニーです。
B：そうですか。じゃ、日本へ来る前はシドニーで仕事をなさっていたんですか。

第1課　紹介

　　A：いえ、日本へ来る前は学生でした。去年、大学を出たばかりなんです。
　　B：ああ、そうですか。じゃ、大学で日本語を勉強なさったんですか。
　　A：ええ、そうです。でも、日本語の授業は1週間に4時間ぐらいしかなかったんです。これからもっと勉強しないと。
　　B：そうですか。ここは英語がわからない人が多いですから、頑張ってください。まあ、とにかくよろしくお願いします。わからないことがあったら、何でも聞いてください。
　　A：ありがとうございます。

2. **訪問先の受付で自己紹介する**　Introducing yourself at a reception desk　STAGE 2 社外
　　名前を言う　　～と申します。
　　面会を求める　～にお目にかかりたいんですが。
　　A：いらっしゃいませ。
　　B：私、Y社のBと申します。企画部長の田中様にお目にかかりたいんですが。
　　A：失礼ですが、お約束がございますか。
　　B：ええ、2時に。
　　A：さようでございますか。少々お待ちください。
　　――内線電話で田中に連絡する
　　A：B様。ただ今、田中がこちらにまいりますので、もう少々お待ちください。
　　B：そうですか。どうも。

3. **社外の人に自己紹介する**　Introducing yourself to people from another company　STAGE 2 社外
　　待たせたことを謝る　　どうもお待たせいたしました。
　　自己紹介する　　　　　～でございます。どうぞよろしくお願いいたします。
　　名前を確認する　　　　～でいらっしゃいますね。
　　A：どうもお待たせいたしました。
　　B：Y社のBでございます。どうぞよろしくお願いいたします。
　　A：Bさんでいらっしゃいますね。企画担当のAでございます。こちらこそ、どうぞよろしくお願いいたします。Y社さんは日比谷のABCビルの中にあるんですね。
　　B：ええ、前は赤坂にあったんですが、去年、移ったんです。

STAGE 4

To the teacher

（社内）

　大勢の人の前で、ある程度まとまった内容の自己紹介をする練習である。まずどんな内容が適当かクラスで話し合った後、各自で書く。内容としては、出身地、仕事、家族、趣味、日本の印象などが考えられるだろう。そして文法、表現が正しく使われているかチェックしてから発表する。できるだけ暗唱するとよいだろう。

第1課　紹介

社 外

　まず、クラスで話し合う。解答例は「名刺（本冊14ページ）」の中にあるので、適当な解答が得られなかった場合は、クラスでこれを読むとよいだろう。また、STAGE 3の3は、実際に名刺交換をして簡単な雑談をする内容になっているので、このSTAGE 4を扱ってからロールプレイを行うのも効果的だろう。

Key expressions

～と申します。よろしくお願いします。	自己紹介する	STAGE 1 社内
～さんです。こちらは～さんです。	他の人を紹介する	STAGE 1 社内
～と申します。どうぞよろしくお願いいたします。	自己紹介する	STAGE 1 社外
ご紹介します。～です。こちらは～さんです。	他の人を紹介する	STAGE 1 社外
～でございます。	名前を言う	STAGE 1 社外
（いつも）お世話になっております。	あいさつをする	STAGE 1 社外
まあ、とにかくよろしくお願いします。	話を終える	STAGE 2 社内
～と申します。	名前を言う	STAGE 2 社外
～にお目にかかりたいんですが。	面会を求める	STAGE 2 社外
どうもお待たせいたしました。	待たせたことを謝る	STAGE 2 社外
～でございます。どうぞよろしくお願いいたします。	自己紹介する	STAGE 2 社外
～でいらっしゃいますね。	名前を確認する	STAGE 2 社外

第2課　あいさつ

第2課　あいさつ　Greetings

STAGE 1

社内

1. 出社した時のあいさつ　Arriving at work
   前日のお礼を言う　きのうはごちそうさまでした。

   > **Note**
   > お礼の内容によって「きのうはありがとうございました」「きのうは本当に助かりました」と変わる。
   > Depending on the situation, you can use きのうはありがとうございました，きのうは本当に助かりました, etc.

   練習2　A：おはようございます。
   　　　　B：おはようございます。
   　　　　A：きのうはありがとうございました。
   　　　　B：いいえ、どういたしまして。

2. 退社する時のあいさつ　Leaving work
   退社のあいさつをする（先に帰る）　お先に失礼します。
   退社のあいさつをする（後に残る）　お疲れさまでした。

   練習2　A：まだ帰らないんですか。
   　　　　B：ええ、まだアルファ薬品から連絡が来ないんですよ。
   　　　　A：そうですか。大変ですね。では、お先に失礼します。
   　　　　B：お疲れさまでした。

3. 久しぶりに会った時のあいさつ　Meeting after a long time
   久しぶりに会ってあいさつをする　お久しぶりですね。

   練習2　A：Bさん、お久しぶりですね。
   　　　　B：そうですね。どうですか、研修のほうは。
   　　　　A：ええ、相変わらず大変ですよ。

▶ロールプレイ
1. A：おはようございます。
   B：おはようございます。
   A：きのうはごちそうさまでした。
   B：いいえ、どういたしまして。
2. A：まだ帰らないんですか。
   B：ええ、まだ書類の作成が終わらないんですよ。
   A：そうですか。大変ですね。では、お先に失礼します。
   B：お疲れさまでした。

第2課　あいさつ

3.　A：Bさん、お久しぶりですね。
　　B：そうですね。どうですか、プロジェクトのほうは。
　　A：ええ、まあ、何とか。

社　外

1. **再会した時のあいさつ**　Saying hello
　　待たせたことを謝る　　　　　　どうもお待たせいたしました。（第1課）
　　先日のお礼を言う　　　　　　　先日はどうもありがとうございました。
　　来てもらったことにお礼を言う　今日は～ところありがとうございます。

> **Note**
> 「今日は～ところありがとうございます」は相手にわざわざ来てもらった時に使われる表現である。相手が来てこれから話を始める時は、「ありがとうございます」となり、話が終わった時は、「ありがとうございました」となる。
> When someone has come to visit you at your request, 今日は～ところありがとうございます is used at the beginning of the conversation to show your appreciation. At the end of the conversation, 今日は～ところありがとうございました is used.

　　練習2　A：どうもお待たせいたしました。
　　　　　　B：いいえ。先日はどうもありがとうございました。
　　　　　　A：いえ、こちらこそ。今日はお暑いところありがとうございます。

2. **別れる時のあいさつ**　Saying goodbye
　　話を切り上げる　　　　　　　　では、そういうことで。

> **Note**
> 「では、そういうことで」は話の結論を述べ、話を切り上げる時に使われる表現である。
> では、そういうことで is used when you want to finish a conversation at the point of a certain conclusion.

　　別れのあいさつをする　　　　　そろそろ失礼いたします。

> **Note**
> 「そろそろ失礼いたします」は退席することを相手に告げる表現である。
> そろそろ失礼いたします is used to indicate that it is time that you left.

　　来てもらったことにお礼を言う　今日は～ところありがとうございました。
　　練習2　A：では、そういうことで。
　　　　　　B：そうですね。それでは、そろそろ失礼いたします。
　　　　　　A：今日はお暑いところありがとうございました。

3. **久しぶりに会った時のあいさつ**　Meeting after a long time
　　久しぶりに会ってあいさつをする　ごぶさたしております

第2課　あいさつ

感謝する　　　　　　　　　おかげさまで

> **Note**
> 「おかげさまで」は、物事が順調に進んでいる時に、相手が自分にしてくれたこと、あるいは相手が自分のことを気にかけてくれたことに感謝の意を表す表現である。
> おかげさまで is used when everything is going well and you want to show appreciation to someone who has done something for you or taken care of you in some way.

練習2　A：ごぶさたしております
　　　　B：いえ、こちらこそ。その後いかがですか。
　　　　A：相変わらず厳しいですよ。

▶ロールプレイ
1. A：どうもお待たせいたしました。
   B：いいえ。先日はどうもありがとうございました。
   A：いえ、こちらこそ。今日は雨のところありがとうございます。
2. A：では、そういうことで。
   B：そうですね。それでは、そろそろ失礼いたします。
   A：今日はお寒いところありがとうございました。
3. A：ごぶさたしております。
   B：いえ、こちらこそ。その後いかがですか。
   A：ええ、おかげさまで、何とか。

STAGE 2

（社内）

会話1　欠勤した翌日　Returning to work after an absence
[場面 situation]　体調が悪くて欠勤した部下が、翌朝出勤して、上司にあいさつする。
[機能 functions]　感謝する　　　　　　おかげさまで
　　　　　　　　前日のことについて謝る　きのうは申し訳ありませんでした。

[解答 answers]　1.　1)　前日、欠勤したから。
　　　　　　　 3.　①おかげさまで
　　　　　　　　　 ②きのうは申し訳ありませんでした
　　　　　　　 5.　B（男性）
　　　　　　　　　 A：おはようございます。
　　　　　　　　　 B：おはよう。大丈夫。
　　　　　　　　　 A：はい、おかげさまで、今日はずいぶんよくなりました。きのうは申し訳ありませんでした。
　　　　　　　　　 B：いやあ、体の調子が悪い時は早く帰って寝たほうがいいよ。何か食べら

第2課　あいさつ

　　　　　　　れるようになった。
　　　A：はい。今朝はもう大丈夫です。ゆうべはほとんど食べられなかったんですが。
　　　B：そうか。じゃ、大変だっただろう。今日も無理をしないほうがいいよ。
　　　A：はい、ありがとうございます。

会話2　残業　Working late
[場面 situation]　終業時間になっても仕事を続けている同僚に声をかけ、退社のあいさつをする。
[機能 functions]　退社のあいさつをする（先に帰る）　じゃ、お先に。
　　　　　　　　退社のあいさつをする（後に残る）　お疲れさま。

[解答 answers]　1.　1）明日の会議の準備が終わらないから。
　　　　　　　3.　①じゃ、お先に
　　　　　　　　　②お疲れさま
　　　　　　　5.　(男同士)
　　　　　　　　　A：まだ帰らないの。
　　　　　　　　　B：うん、まだファイルの整理が終わらないんだよ。今日中にこの部屋を片付けなくちゃなんないんだ。
　　　　　　　　　A：今日中に全部片付けるの。
　　　　　　　　　B：そうなんだよ。
　　　　　　　　　A：大変だな。頑張れよ。じゃ、お先に。
　　　　　　　　　B：お疲れさま。

　　　　　　　　　(女同士)
　　　　　　　　　A：まだ帰らないの。
　　　　　　　　　B：うん、まだファイルの整理が終わらないのよ。今日中にこの部屋を片付けなくちゃなんないの。
　　　　　　　　　A：今日中に全部片付けるの。
　　　　　　　　　B：そうなのよ。
　　　　　　　　　A：大変ね。頑張って。じゃ、お先に。
　　　　　　　　　B：お疲れさま。

（社外）

会話　訪問客　Visitors
[場面 situation]　応接室に待たせていた訪問客にあいさつをする。しばらく雑談をした後で、重要な話を切り出す。
[機能 functions]　待たせたことを謝る　　　　　　　どうもお待たせいたしました。（第1課）
　　　　　　　　先日のお礼を言う　　　　　　　　先日はどうも。
　　　　　　　　来てもらったことにお礼を言う　　今日は〜ところありがとうございます。
　　　　　　　　話を切り出す　　　　　　　　　　早速ですが

第2課　あいさつ

- Note
「早速ですが」は、雑談を終え、本題を切り出す時に使われる表現である。
早速ですが is used to indicate you will turn to the main topic to be discussed. It is used after opening remarks or catching up on news at the beginning of a conversation.

[解答 answers]　1.　1)　車で来た。
　　　　　　　　　　2)　前に地図をもらっていたので、すぐわかった。
　　　　　　　3.　①どうもお待たせいたしました
　　　　　　　　　②先日はどうも
　　　　　　　　　③今日はお忙しいところありがとうございます
　　　　　　　　　④早速ですが
　　　　　　　5.　A：<u>どうもお待たせいたしました</u>。
　　　　　　　　　B：いいえ。<u>先日はどうも</u>。
　　　　　　　　　A：いえ、こちらこそ。<u>今日は雨のところありがとうございます</u>。今日は車でいらっしゃったんですか。
　　　　　　　　　B：いえ、電車でまいりました。
　　　　　　　　　A：そうですか。ここはすぐおわかりになりましたか。ちょっと駅から遠いですから。
　　　　　　　　　B：ええ、きのうファックスで地図を送っていただいたので、すぐわかりました。
　　　　　　　　　A：ああ、そうですか。それで、<u>早速ですが</u>、例の件の見積もりを出してみたんですが…。

STAGE 3

1. **出社時に同僚とあいさつをする**　Arriving at work　STAGE 2 社内　会話1
感謝する　　　　　　おかげさまで
前日のお礼を言う　きのうはありがとう。
A（男性）　B（女性）

A：おはよう。
B：おはよう。大丈夫。
A：うん、<u>おかげさまで</u>、今日はずいぶんよくなったよ。<u>きのうはありがとう</u>。
B：ううん、どういたしまして。熱は下がったの。
A：うん。きのうはうちへ帰って、薬を飲んで、すぐ寝たから。
B：そう。このごろ風邪をひいている人が多いから、気を付けたほうがいいわよ。
A：そうだね。
B：今日も無理をしないほうがいいわよ。
A：うん、ありがとう。

2. **退社時に同僚とあいさつをする**　Leaving work　STAGE 2 社内　会話2
退社のあいさつをする（先に帰る）　じゃ、お先に。

第2課　あいさつ

退社のあいさつをする（後に残る）　お疲れさま。
A（男性）B（女性）
A：まだ、帰らないの。
B：うん、まだ仕事が終わらないのよ。今日中にこの書類を日本語に翻訳しなくちゃなんないの。
A：これを全部翻訳するの。
B：そうなのよ。
A：大変だな。頑張れよ。じゃ、お先に。
B：お疲れさま。

3. **訪問客とあいさつをする**　Exchanging greetings with a customer　STAGE 2 社外

待たせたことを謝る　　　　　　どうもお待たせいたしました。（第1課）
久しぶりに会ってあいさつをする　ごぶさたしております。
来てもらったことにお礼を言う　今日は～ところありがとうございます。
話を切り出す　　　　　　　　　早速ですが

A：どうもお待たせいたしました。
B：ごぶさたしております。
A：いえ、こちらこそ。その節は大変お世話になりました。
B：こちらこそ、いろいろお世話になりまして。
B：今日は遠いところありがとうございます。
B：いえいえ。
A：今日は車でいらっしゃったんですか。
B：いえ、この時間は道が込んでいるので、電車でまいりました。
A：ああ、そうですか。じゃ、品川駅からいらっしゃったんですか。
B：ええ、そうです。
A：それは大変でしたね。ここは駅からちょっと遠いですから。
B：いえいえ。今日は天気がいいですから、歩いていて気持ちが良かったですよ。
A：ああ、そうですか。それで、早速ですが、合同会議の件なんですが…。

STAGE 4

To the teacher

（社内）

職場の人が休暇を取って旅行に行くような時は、「気を付けて行ってきてください」「楽しんできてください」などと言う。また、帰国や異動で職場を去るときには、「いろいろお世話になりました」と言ってお礼を言う。

（社外）

解答例は「あいさつの後で」（本冊31ページ）の中にあるので、クラスで一緒に読んでもよいだろ

第2課　あいさつ

う。そして第1課の復習も兼ねて、実際に名刺交換をしてから、雑談を経て、本題に入るという流れでロールプレイをやるとよい。

Key expressions

きのうはごちそうさまでした。	前日(ぜんじつ)のお礼(れい)を言(い)う	STAGE 1 社内
お先(さき)に失礼(しつれい)します。	退社(たいしゃ)のあいさつをする（先(さき)に帰(かえ)る）	STAGE 1 社内
お疲(つか)れさまでした。	退社(たいしゃ)のあいさつをする（後(あと)に残(のこ)る）	STAGE 1 社内
お久(ひさ)しぶりですね。	久(ひさ)しぶりに会(あ)ってあいさつをする	STAGE 1 社内
先日(せんじつ)はどうもありがとうございました。	先日(せんじつ)のお礼(れい)を言(い)う	STAGE 1 社外
今日(きょう)は〜ところありがとうございます。	来(き)てもらったことにお礼(れい)を言う	STAGE 1 社外
ではそういうことで。	話(はなし)を切(き)り上(あ)げる	STAGE 1 社外
そろそろ失礼(しつれい)いたします。	別(わか)れのあいさつをする	STAGE 1 社外
今日(きょう)は〜ところありがとうございました。	来(き)てもらったことにお礼(れい)を言う	STAGE 1 社外
ごぶさたしております。	久(ひさ)しぶりに会(あ)ってあいさつをする	STAGE 1 社外
おかげさまで	感謝(かんしゃ)する	STAGE 1 社外
きのうは申(もう)し訳(わけ)ありませんでした。	前日(ぜんじつ)のことについて謝(あやま)る	STAGE 2 社内
じゃ、お先(さき)に。	退社(たいしゃ)のあいさつをする（先(さき)に帰(かえ)る）	STAGE 2 社内
お疲(つか)れさま。	退社(たいしゃ)のあいさつをする（後(あと)に残(のこ)る）	STAGE 2 社内
先日(せんじつ)はどうも。	先日(せんじつ)のお礼(れい)を言(い)う	STAGE 2 社外
早速(さっそく)ですが	話(はなし)を切(き)り出(だ)す	STAGE 2 社外

第3課　許可 Permisson

STAGE 1

【社内】

1. **意向を尋ねて許可を求める** Asking for permission
    意向を尋ねて許可を求める　　〜てもいいですか。

   > **Note**
   > 「〜てもいいですか」は、相手の所有物を借りる時など、相手の都合に直接かかわる場合に使われる表現である。
   > 〜てもいいですか is used when you want to ask if it is okay to do something; for example, when you want to borrow something.

(1) **許可する** Giving permission
    許可する　　　　　　　　　ええ、いいですよ。
    許可をもらったことを確認する　じゃ、〜（さ）せてもらいますね。

   > **Note**
   > 「じゃ、〜（さ）せてもらいますね」は、相手の都合に直接かかわる自分の行動が、相手に許可されたことを確認する時に使われる表現である。使役授受表現を使っているのは謙虚な気持ちの現れである。
   > じゃ、〜（さ）せてもらいますね is used to confirm you have been given permission to do something that might possibly inconvenience the listener. In this case, させてもらいます shows the speaker's feelings of humbleness.

   練習2　A：ちょっとこの辞書、使ってもいいですか。
   　　　　B：ええ、いいですよ。
   　　　　A：じゃ、ちょっと使わせてもらいますね。

(2) **許可しない** Refusing permission
    許可しない　　　　　　すみません。〜ところなんですよ。

   > **Note**
   > 許可できない場合には必ず理由を述べる。ここでは、「〜ところなんですよ」と言って、自分の状況を説明している。
   > When you cannot give permission, you should give the reason. In this case, the speaker uses ところなんですよ to indicate the reason.

   練習2　A：ちょっとこの辞書、使ってもいいですか。
   　　　　B：すみません。今、使うところなんですよ。
   　　　　A：ああ、そうですか。じゃ、いいです。

第3課　許可

2. 可能性を尋ねて許可を求める　Asking for permission
可能性を尋ねて許可を求める　【可能形 potential form】ますか。

> **Note**
> 「【可能形】ますか」は、会社の部屋を借りる時など、相手の都合に直接かかわらない場合に使われる表現である。1の「意向を尋ねて許可を求める」との使い分けに気を付ける。
> 【potential form】ますか is used when you want to ask if something is possible or not; for example, when you want to use a room.

(1) 許可する　Giving permission
許可する　　　　　　　　　ええ、大丈夫ですよ。
許可をもらったことを確認する　じゃ、～ます。

> **Note**
> 相手の都合に直接かかわらない場合は、特に使役授受表現を使って謙虚な気持ちを表す必要はない。
> With this usage, it is not necessary to use the humble させてもらいます.

練習2　A：すみません。会議室の使用時間、2時からに変更できますか。
　　　　B：ええ、大丈夫ですよ。
　　　　A：じゃ、2時からに変更します。

(2) 許可しない　Refusing permission
許可しない　　　　　　　　それが、～んですよ。
練習2　A：すみません。会議室の使用時間、2時からに変更できますか。
　　　　B：それが、2時からはもう予約が入っているんですよ。
　　　　A：そうですか。わかりました。

▶ロールプレイ
1. A：ちょっと荷物、ここに置いてもいいですか。
   B：すみません。今、ここで書類の整理をするところなんですよ。
   A：ああ、そうですか。じゃ、いいです。
2. A：すみません。今度の金曜日、会社の車、使えますか。
   B：それが、今度の金曜日はもう予約が入っているんですよ。
   A：そうですか。わかりました。
3. A：ちょっと資料、コピーしてもいいですか。
   B：ええ、いいですよ。
   A：じゃ、ちょっとコピーさせてもらいますね。
4. A：すみません。明日まで、会社のワープロ、借りられますか。
   B：ええ、大丈夫ですよ。
   A：じゃ、明日まで借ります。

第3課　許可

[社外]

1. 意向を尋ねて許可を求める　Asking for permission
　　意向を尋ねて許可を求める　　【謙譲語 humble expression】てもよろしいでしょうか。

(1) 許可する　Giving permission
　　許可する　　　　　　　　　　　ええ、どうぞ。
　　許可をもらったことを確認する　では、そうさせていただきます。
　　練習2　A：社長に直接お話ししてもよろしいでしょうか。
　　　　　　B：ええ、どうぞ。
　　　　　　A：では、そうさせていただきます。

(2) 許可しない　Refusing permission
　　許可しない　　　　　　　　申し訳ございませんが、～まして／でして…。

> Note
> 「～まして／でして…。」と最後まで言い切らないことによって、さらに丁寧な言い方になっている。
> By not finishing the sentence, it acquires a softer and politer quality.

　　練習2　A：社長に直接お話ししてもよろしいでしょうか。
　　　　　　B：申し訳ございませんが、必ず担当者を通すことになっておりまして…。
　　　　　　A：ああ、そうですか。

▶ロールプレイ
　1.　A：この中を拝見してもよろしいでしょうか。
　　　　B：申し訳ございませんが、立入禁止でして…。
　　　　A：ああ、そうですか。
　2.　A：こちらのサンプル、次回の打ち合わせまでお借りしてもよろしいでしょうか。
　　　　B：ええ、どうぞ。
　　　　A：では、そうさせていただきます。

STAGE 2

[社内]

会話1　休暇の許可願い　Asking for permission to take time off work
［場面 situation］　上司に休暇を取る許可をもらいに行くが、その日は頼みたい仕事があるからと言って、返事を保留される。

第3課　許可

[機能 functions]　都合を聞く　　　　　　　　ちょっとよろしいですか。

> Note
> 「ちょっとよろしいですか」は相談したり頼みごとをしたりするために、相手に時間を割いてもらう時に使う表現である。
> ちょっとよろしいですか is used when you are checking if someone has the time to talk or listen to something you want to ask.

話を切り出す　　　　　　　　　　　実は
上司の意向を尋ねて許可を求める　　～てもよろしいですか。
許可しない　　　　　　　　　　　　～はちょっと…。

> Note
> 「～はちょっと…」は、許可を求められたり、依頼や誘いを受けた時に、不都合な点を述べて、遠回しに断る言い方である。
> ～はちょっと… is a vague expression used to refuse permission, decline invitations, etc., by stressing the inconvenience of the suggested time, place, etc.

許可を保留する　　　　　　　　　　考えておく［よ。／わ。］

> Note
> 「考えておくよ／わ」は、文字通りに解釈すれば、返事を保留していることになるが、しばしば断りの意味で使われるので、注意が必要である。許可願い、依頼、誘いに対してこのような返答があった場合は、断られる可能性が高いと思ったほうがよい。
> 考えておく［よ/わ］ literally means the speaker is putting off making a decision, but in reality it can often be taken as a refusal. So if you request or ask for anything and this is the answer, the chances that you are hearing a refusal are very high.

[解答 answers]　1.　1)　国から両親が来るので、月曜日に休暇を取る許可を求めた。
　　　　　　　　　2)　返事は保留された。
　　　　　　　3.　①ちょっとよろしいですか
　　　　　　　　　②実は
　　　　　　　　　③取ってもよろしいですか
　　　　　　　　　④はちょっと
　　　　　　　　　⑤実は
　　　　　　　　　⑥考えておくよ
　　　　　　　5.　B（男性）
　　　　　　　　　A：部長、ちょっとよろしいですか。
　　　　　　　　　B：うん、何だい。
　　　　　　　　　A：実は、もう少し日本語を勉強したいんです。それで、10月から火曜日と木曜日の午前中、日本語学校に行ってもよろしいですか。
　　　　　　　　　B：10月からか…。10月からはちょっと…。
　　　　　　　　　A：無理ですか。
　　　　　　　　　B：実は、松田さんと山崎さんが9月で会社をやめるんだよ。それで、10月か

第3課　許可

　　らはちょっと忙しくなるんだけどなあ。
A：ああ、そうですか。
B：新しい人は当分入らないそうでね。困ったなあ。まあ、この件は考えておくよ。
A：すみません。お願いします。

会話2　物の貸し借り　Borrowing and lending
[場面 situation]　同僚にコンピューターを使う許可を求めるが、今から使うところだと言って断られる。
[機能 functions]　同僚の意向を尋ねて許可を求める　～てもいい。
　　　　　　　　　許可しない　　　　　　　　　　　悪いけど、～ところな［んだよ。／のよ。］

> Note
> 「悪いけど」は言いにくいことを切り出すときに使われる表現である。
> 悪いけど is used to indicate you are trying to say something difficult.

　　　　　　　　　あきらめる　　　　　　　　　　　じゃ、しょうがない［な。／わね。］

> Note
> 「じゃ、しょうがない［な／わね］」は、相手の状況を理解し、自分の意向をあきらめる時の表現である。
> じゃ、しょうがない［な/わね］ is used to indicate your understanding and acceptance of someone's refusal.

[解答 answers]　1.　1）　コンピューターを使う許可を求めた。
　　　　　　　　　　2）　許可されなかった。
　　　　　　　　3.　①使ってもいい
　　　　　　　　　　②悪いけど、今、使うところなのよ
　　　　　　　　　　③じゃ、しょうがないな
　　　　　　　　5.　A（男性）B（女性）
　　　　　　　　　　A：ちょっとこの電子辞書、借りてもいい。
　　　　　　　　　　B：悪いけど、今から高橋さんに貸すところなのよ。
　　　　　　　　　　A：そうか。じゃ、しょうがないな。
　　　　　　　　　　B：後でよかったら貸すけど。
　　　　　　　　　　A：ああ、そう。じゃ、後でちょっと貸して。

（社　外）

会話　訪問　Company visit
[場面 situation]　他社を訪問して帰る時に、また来週訪問する許可を求める。
[機能 functions]　別れのあいさつをする　　　　　そろそろ失礼いたします。（第2課）
　　　　　　　　　意向を尋ねて許可を求める　　　【謙譲語 humble expression】てもよろしいでしょうか。
　　　　　　　　　条件付きで許可する　　　　　　～たら構いませんが。
　　　　　　　　　来てもらったことにお礼を言う　今日は～ところありがとうございました。（第2課）

第3課　許可

[解答 answers]　1.　1)　来週の月曜日にもう一度訪問する許可を求めた。
　　　　　　　　　2)　午後なら構わないと言って許可された。
　　　　　　　3.　①そろそろ失礼いたします
　　　　　　　　　②伺ってもよろしいでしょうか
　　　　　　　　　③でしたら構いませんが
　　　　　　　　　④今日はお忙しいところありがとうございました
　　　　　　　5.　A：それでは、そろそろ失礼いたします。こちらの写真、しばらくお借りしてもよろしいでしょうか。
　　　　　　　　　B：ええ、1、2週間でしたら構いませんが。
　　　　　　　　　A：そうですか。では、この次伺う時に持ってまいります。
　　　　　　　　　B：そうそう、その時、応接セットのカタログを見せていただけませんか。
　　　　　　　　　A：承知いたしました。
　　　　　　　　　B：よろしくお願いいたします。今日はお忙しいところありがとうございました。

STAGE 3

1. 早退の許可を求める　Asking for permission to leave early　STAGE 2 社内　会話1

都合を聞く　　　　　　　　　ちょっとよろしいですか。
話を切り出す　　　　　　　　実は
上司の意向を尋ねて許可を求める　〜てもよろしいですか。
許可しない　　　　　　　　　〜はちょっと…。
許可を保留する　　　　　　　考えておく［よ。／わ。］

B（女性）
A：部長、ちょっとよろしいですか。
B：うん、何。
A：実は、今週の金曜日の夜、国から友達が来るんです。それで、金曜日は4時に帰ってもよろしいですか。
B：4時か…。4時はちょっと…。
A：無理ですか。
B：実は、金曜日は3時半から、来月の展示会の打ち合わせをやろうと思っているのよ。それで、Aさんにも出てもらいたいと思っていたんだけどねえ。
A：ああ、そうですか。
B：友達は何時に来るの。
A：6時に成田に着く予定です。
B：そう。じゃ、4時にここを出ないと間に合わないわねえ。うーん、まあ考えておくわ。
A：すみません。お願いします。

2. 物を借りる許可を求める　Asking for permission to borrow something　STAGE 2 社内　会話2

同僚の意向を尋ねて許可を求める　〜てもいい。
許可しない　　　　　　　　　悪いけど、〜ところな［んだよ。／のよ。］
あきらめる　　　　　　　　　じゃ、しょうがない［な。／わね。］

第3課　許可

A（女性）B（男性）
A：ちょっとこのテープレコーダー、借りてもいい。
B：悪いけど、今から会議の録音をするところなんだよ。
A：そう。じゃ、しょうがないわね。
B：会議の後でよかったら、貸すけど。
A：うーん。今、使いたいから、他の人に聞いてみる。
B：そうか。悪いね。

3. **訪問の許可を求める**　Asking for permission to visit　STAGE 2 社外
　　別れのあいさつをする　　　　　　そろそろ失礼いたします。（第2課）
　　意向を尋ねて許可を求める　　　【謙譲語 humble expression】てもよろしいでしょうか。
　　条件付きで許可する　　　　　　～たら構いませんが。
　　来てもらったことにお礼を言う　今日は～ところありがとうございました。（第2課）
A：それでは、そろそろ失礼いたします。また来週伺ってもよろしいでしょうか。
B：ええ、木曜日か金曜日でしたら構いませんが。
A：そうですか。では、また木曜日のこの時間に伺います。
B：そうそう、その時、商品カタログをもう2部持ってきていただけませんか。
A：承知いたしました。
B：よろしくお願いいたします。今日は雨のところありがとうございました。

STAGE 4

To the teacher

職場のいろいろな場面で聞いた表現を書かせる。

Key expressions

～てもいいですか。	意向を尋ねて許可を求める	STAGE 1 社内
ええ、いいですよ。	許可する	STAGE 1 社内
じゃ、～(さ)せてもらいますね。	許可をもらったことを確認する	STAGE 1 社内
すみません、～ところなんですよ。	許可しない	STAGE 1 社内
【可能形 potential form】ますか。	可能性を尋ねて許可を求める	STAGE 1 社内
ええ、大丈夫です。	許可する	STAGE 1 社内
じゃ、～ます。	許可をもらったことを確認する	STAGE 1 社内
それが～んですよ。	許可しない	STAGE 1 社内
【謙譲語 humble expression】てもよろしいでしょうか。	意向を尋ねて許可を求める	STAGE 1 社外
ええ、どうぞ。	許可する	STAGE 1 社外
では、そうさせていただきます。	許可をもらったことを確認する	STAGE 1 社外
申し訳ございませんが、～まして／でして…。	許可しない	STAGE 1 社外
ちょっとよろしいですか。	都合を聞く	STAGE 2 社内

第3課　許可

実（じつ）は
〜てもよろしいですか。
〜はちょっと…。
考（かんが）えておく［よ。／わ。］
〜てもいい。
悪（わる）いけど、〜ところな［んだよ。／のよ。］
じゃ、しょうがない［な。／わね。］
〜たら構（かま）いませんが。

話（はなし）を切（き）り出（だ）す	STAGE 2 社内（しゃない）
上司（じょうし）の意向（いこう）を尋（たず）ねて許可（きょか）を求（もと）める	STAGE 2 社内
許可しない	STAGE 2 社内
許可を保留（ほりゅう）する	STAGE 2 社内
同僚（どうりょう）の意向を尋ねて許可を求める	STAGE 2 社内
許可しない	STAGE 2 社内
あきらめる	STAGE 2 社内
条件付（じょうけんつ）きで許可する	STAGE 2 社外（しゃがい）

第4課　依頼 Requests

STAGE 1

【社内】

1. **依頼する**　Making a request
   依頼する　〜てもらえませんか。

   > **Note**
   > 「〜てもらえませんか」は、自分と同じか目下の人に使う。親しくない人や目上の人に使うと丁寧でない印象を与える。
   > 〜てもらえませんか should only be used to your colleagues or subordinates. It could sound impolite if used to your superiors or people you don't know very well.

   (1) **受ける**　Agreeing
   　　受ける　　はい、わかりました。
   　　練習2　A：ちょっと明日の会議の資料をそろえてもらえませんか。
   　　　　　　B：はい、わかりました。

   (2) **断る**　Declining
   　　断る　　すみません。〜んです。

   > **Note**
   > 依頼を断る時にはできない理由だけを述べる。「できません」とはっきり言わないようにする。
   > When you decline someone's request, simply saying できません sounds abrupt. Using the above expression together with the reason for declining greatly softens the refusal.

   　　練習2　A：ちょっと明日の会議の資料をそろえてもらえませんか。
   　　　　　　B：すみません。今やっている仕事があと1時間くらいかかりそうなんです。

▶ロールプレイ
   1. A：ちょっとOHPを持ってきてもらえませんか。
      B：はい、わかりました。
   2. A：ちょっとこの仕事を代わってもらえませんか。
      B：すみません。今、手が離せないんです。

【社外】

1. **依頼する**　Making a request
   丁寧に依頼する　できましたら、〜ていただきたいんですが。

第4課　依頼

> Note
> 「できましたら、〜ていただきたいんですが」は、話し手の要望の形で遠回しに依頼する表現。
> できましたら、〜ていただきたいんですが, which is in the form of a hope or wish, is an indirect way of making a request

(1) 受ける　Agreeing
　　受ける　　　そうですね。じゃあ、〜ましょう。
　　練習2　A：できましたら、当社の新製品を購入していただきたいんですが。
　　　　　　B：そうですね。じゃあ、購入しましょう。

(2) 断る　Declining
　　断る　　　　申し訳ございませんが、それはちょっと…。
　　練習2　A：できましたら、当社の新製品を購入していただきたいんですが。
　　　　　　B：申し訳ございませんが、それはちょっと…。

2. 強く依頼する　Making a strong request
　　強く依頼する　何とかお願いできませんか。

(1) 受ける　Agreeing
　　受ける　　　承知いたしました。
　　練習2　A：今回の件で、ベストコンピューターのチャン部長に紹介していただきたいんですが、何とかお願いできませんか。
　　　　　　B：承知いたしました。

(2) 断る　Declining
　　断る　　　　申し訳ございませんが、それはちょっと難しいですね。

> Note
> 「それはちょっと難しいですね」は、断りの意味である。
> それはちょっと難しいですね is used when the speaker wants to indicate that someone's request is probably too difficult to meet.

　　練習2　A：今回の件で、ベストコンピューターのチャン部長に紹介していただきたいんですが、何とかお願いできませんか。
　　　　　　B：申し訳ございませんが、それはちょっと難しいですね。

▶ロールプレイ
1. A：ABCコンサルティングの吉田社長に紹介していただきたいんですが、何とかお願いできませんか。
　 B：承知いたしました。
2. A：できましたら、価格を10%下げていただきたいんですが。
　 B：申し訳ございませんが、それはちょっと…。
3. A：契約内容について、社長に直接ご説明したいんですが、何とかお願いできませんか。

第4課　依頼

B：申し訳ございませんが、それはちょっと難しいですね。
4. A：打ち合わせをしたいので、できましたら、当社に来ていただきたいんですが。
　　B：そうですね。じゃあ、伺いましょう。

STAGE 2

（社内）

会話1　上司に頼む　Making a request to a superior
[場面 situation]　主任に今やっている仕事のチーフを依頼する。
[機能 functions]　都合を聞く　　　　ちょっとよろしいですか。（第3課）
　　　　　　　　　上司に依頼する　〜ていただけませんか。
　　　　　　　　　話を切り上げる　では、そういうことで（第2課）

[解答 answers]　1.　1）主任にグッドシステムとの共同事業のチーフになってもらうこと。
　　　　　　　　　　2）受けた。
　　　　　　　3.　①ちょっとよろしいですか
　　　　　　　　　②やっていただけませんか
　　　　　　　　　③では、そういうことで
　　　　　　　5.　B（男性）
　　　　　　　　　A：課長、今、ちょっとよろしいですか。
　　　　　　　　　B：うん。何。
　　　　　　　　　A：実は、新製品の開発プロジェクトの件なんですが、技術部とのコミュニ
　　　　　　　　　　ケーションがうまくいかないんです。
　　　　　　　　　B：そうか。
　　　　　　　　　A：それで、課長に技術部長への根回しをやっていただけませんか。
　　　　　　　　　B：そうか。わかった。
　　　　　　　　　A：ありがとうございます。助かります。では、そういうことでよろしくお願
　　　　　　　　　　いします。

会話2　ワープロ打ちを強く頼む　Asking for something to be typed
[場面 situation]　同僚に仕事を依頼する。
[機能 functions]　言いにくいことを切り出す　悪いけど
　　　　　　　　　依頼する　　　　　　　　　〜てもらえない。
　　　　　　　　　強く依頼する　　　　　　　そこを何とか。
　　　　　　　　　お願いする　　　　　　　　頼むよ。
　　　　　　　　　しかたなく受ける　　　　　しかたがない。【辞書形 dictionary form】[よ。／わ。]

[解答 answers]　1.　1）引き受けた。
　　　　　　　3.　①悪いけど
　　　　　　　　　②やってもらえない
　　　　　　　　　③そこを何とか

第4課　依頼

　　　④頼むよ
　　　⑤しかたがない　やるわ
5. A（男性）　B（男性）
　A：ちょっとこの資料、急ぐんだけど…。悪いけど、今すぐ第一工業に届けてもらえない。
　B：今すぐ。
　A：だって、第一工業がすぐに持ってこいって言っているんだよ。
　B：でも、主任に今日中にこの伝票を全部まとめてくれって言われているし…。
　A：そこを何とか。
　B：そうだなあ。
　A：大切なお得意先なんだよ。頼むよ。
　B：そう。じゃあ、しかたがない。やるよ。
　A：ありがとう。

社外

会話　見本市への出品を頼む　Asking someone to take part in a trade fair

[場面 situation]　ベストコンピューター社が主催する見本市への出品をグッドシステムに依頼する。

[機能 functions]　話を切り出す　　　早速ですが（第2課）
　　　　　　　　　丁寧に依頼する　　できましたら、〜ていただきたいんですが。
　　　　　　　　　控え目に依頼する　〜ていただけるとありがたいんですが。
　　　　　　　　　強く依頼する　　　何とかお願いできませんか。

[解答 answers]　1.　1) まだ決めていない。
　　　　　　　　　　2) 出席する。
　　　　　　　　3.　①早速ですが
　　　　　　　　　　②できましたら、御社も出品していただきたいんですが
　　　　　　　　　　③来ていただけるとありがたいんですが
　　　　　　　　　　④何とかお願いできませんか
　　　　　　　　5.　A：早速ですが、Y社さんに一つお願いがあるんですが。
　　　　　　　　　　B：何でしょうか。
　　　　　　　　　　A：実は、今度当社から病院用ベッドを売り出すことになりまして…。それで、できましたら、御社と親しい中央病院の院長を紹介していただきたいんですが。
　　　　　　　　　　B：申し訳ございませんが、最近中央病院とは取引が減ってきていますので。
　　　　　　　　　　A：そうですか。では、電話だけでも入れていただけるとありがたいんですが。
　　　　　　　　　　B：そうですねえ。
　　　　　　　　　　A：他にお願いできるところがないんです。何とかお願いできませんか。
　　　　　　　　　　B：わかりました。じゃあ、電話を入れましょう。

A：ありがとうございます。

STAGE 3

1. **レポートの期限の延期**　Postponing the deadline of a report　STAGE 2 社内　会話1
   都合を聞く　　　　　ちょっとよろしいですか。（第3課）
   上司に依頼する　　　〜ていただけませんか。
   B（男性）
   A：部長、今、<u>ちょっとよろしいですか</u>。
   B：ああ。何。
   A：実は、来週の月曜日に提出するように言われたレポートの件なんですが、国の母の具合が よくないので、これから帰らなければならないんです。
   B：そうか。大変だねえ。
   A：それで、月曜日までにできそうもないんです。2、3日、期限を延期<u>していただけませんか</u>。
   B：そうだねえ…。
   A：月曜日にはこちらにもどってきますので。
   B：そうか。わかった。じゃあ、水曜日には間に合うように頼むよ。
   A：ありがとうございます。

2. **データ整理の手伝い**　Helping to prepare data　STAGE 2 社内　会話2
   言いにくいことを切り出す　悪いけど／悪いんですが
   依頼する　　　　　　　　　〜てもらえない。
   依頼する　　　　　　　　　〜てもらえませんか。
   A（男性）　B（男性）
   A：ねえ、B。この資料作成、課長に明日までにしろって言われてるんだけど、なかなかできないんだ。<u>悪いけど</u>、ちょっとデータの整理、手伝って<u>もらえない</u>。
   B：うーん、それが、これから4時まで会議で、そのあと得意先回りなんだ。
   A：そうか…。Cさん。課長に明日までにこの資料を作れって言われているんですけど、なかなか進まないんです。<u>悪いんですが</u>、データの整理を手伝って<u>もらえませんか</u>。
   C：ええ、いいですよ。今、特に急ぎの仕事はありませんから。
   A：ありがとう。助かります。

3. **値引きの依頼**　Asking for a discount　STAGE 2 社外
   話を切り出す　　　　早速ですが（第2課）
   丁寧に依頼する　　　できましたら、〜ていただきたいんですが。
   断る　　　　　　　　申し訳ございませんが、それはちょっと…。
   強く依頼する　　　　何とかお願いできませんか。
   控えめに依頼する　　〜ていただけるとありがたいんですが。
   A：<u>早速です</u>が、コスモ商事さんに一つお願いがあるんですが。
   B：はあ、何でしょうか。
   A：<u>できましたら</u>、コピー機のリース料を10％値下げし<u>ていただきたいんですが</u>。
   B：10％ですか。

第4課　　依頼

A：15台まとめてリースいたしますので。
B：申し訳ございませんが、それはちょっと…。10％値引きするというのは難しいですよ。
A：そうですか。じゃあ、5％ではいかがでしょうか。
B：そうですねえ。
A：何とかお願いできませんか。当社もまとめてリースすることですし…。検討していただけるとありがたいんですが。
B：わかりました。では検討してみます。
A：ありがとうございます。

STAGE 4

To the teacher

まず、どんな会話になるか想像させ、書かせる。その後で実際に行ってみて、どんな会話になったか、もう一度書かせる。想像と違った部分だけ書かせてもよい。そしてクラスで各自の結果を発表させる。想像と違った部分について、なぜそうなったのか理由を考えさせ、話し合うとよいだろう。

Key expressions

～てもらえませんか。	依頼する	STAGE 1 社内
はい、わかりました。	受ける	STAGE 1 社内
すみません。～んです。	断る	STAGE 1 社内
できましたら、～ていただきたいんですが。	丁寧に依頼する	STAGE 1 社外
そうですね。じゃあ、～ましょう。	受ける	STAGE 1 社外
申し訳ございませんが、それはちょっと…。	断る	STAGE 1 社外
何とかお願いできませんか。	強く依頼する	STAGE 1 社外
承知いたしました。	受ける	STAGE 1 社外
申し訳ございませんが、それはちょっと難しいですね。	断る	STAGE 1 社外
～ていただけませんか。	上司に依頼する	STAGE 2 社内
悪いけど／悪いんですが	言いにくいことを切り出す	STAGE 2 社内
～てもらえない。	依頼する	STAGE 2 社内
そこを何とか。	強く依頼する	STAGE 2 社内
頼むよ。	お願いする	STAGE 2 社内
しかたがない。【辞書形 dictionary form】[よ。／わ。]	しかたなく受ける	STAGE 2 社内
～ていただけるとありがたいんですが。	控えめに依頼する	STAGE 2 社外

第5課　誘い　Inviting

STAGE 1

(社内)

1. **誘う**　Inviting
   誘う　〜ませんか。

   > **Note**
   > 「〜ましょうか」は誘う人が、誘われる人もその行動をするという認識を持って用いる。そのような認識のないうちに用いると押しつけがましく聞こえるので、注意する。
   > ましょうか is used when the speaker is fairly certain that the listener will join in the activity being suggested. If he is not sure, ましょうか can sound pushy, and so ませんか is used instead.

   (1) **受ける**　Accepting
   受ける　ええ、喜んで。／ええ、ぜひ。／ええ、いいですね。／ええ、おもしろそうですね。
   練習2　A：今度の日曜日、会社のゴルフコンペがあるんですけど、よかったら、一緒に行きませんか。
   　　　　B：ええ、喜んで。

   (2) **断る**　Declining
   断る　ちょっと、〜んで…。

   > **Note**
   > 誘いを断る場合は意志をはっきり表明するのではなく、断る理由のみを伝えるようにする。これは依頼を断る場合も同じである。
   > When declining anything, it is abrupt to simply say "no." So, to soften your refusal, gently give the reason for declining. This is the same as with declining requests.

   練習2　A：今度の日曜日、会社のゴルフコンペがあるんですけど、よかったら、一緒に行きませんか。
   　　　　B：今度の日曜日ですか。ちょっと子供と約束があるんで…。

2. **勧める**　Offering things
   勧める　〜でもどうですか。

   > **Note**
   > 「〜でも」を付けることで勧める対象を限定せず範囲を広げている。そのため勧められる相手に押し付けがましい印象を与えなくなる。
   > With でも, what is being offered is not limited to the thing mentioned. This makes the offer sound less forceful.

第5課　誘い

(1) 受ける　Accepting
　　受ける　　いいですね。
　　練習2　A：疲れましたね。温かい飲み物でもどうですか。
　　　　　　B：ああ、いいですね。

(2) 断る　Declining
　　断る　　それが、～んですよ。

> **Note**
> 「それが」と切り出せば、勧めた方は断られると予期するので、その上で断る理由のみを述べる。「いりません」と直接的に言わないようにする。
> If the speaker starts with それが, the listener can anticipate that his invitation is going to be declined. After それが, only the reason for declining should be given. As always, it is very abrupt to simply say "no" directly.

　　練習2　A：疲れましたね。温かい飲み物でもどうですか。
　　　　　　B：ありがとう。それが、急いで出かけなければならないんですよ。

▶ロールプレイ
1. A：寒いですね。コーヒーでもどうですか。
   B：ありがとう。それが、さっき飲んだばかりなんですよ。
2. A：歌舞伎の切符が2枚あるんですけど、よかったら、一緒に見に行きませんか。
   B：ええ、喜んで。
3. A：来週末、おもしろそうな講演会があるんですけど、よかったら、一緒に聞きに行きませんか。
   B：来週末ですか。ちょっと明日からしばらくアメリカに出張するんで…。
4. A：疲れましたね。甘い物でもどうですか。
   B：ああ、いいですね。

(社　外)

1. 誘う　Inviting
　　誘う　　【尊敬語 deferential expression】ませんか。

(1) 受ける　Accepting
　　受ける　　はい、そうさせていただきます。

> **Note**
> 「そういたします」と答えるより「そうさせていただきます」には相手の意向を尊重して誘いを受けるというニュアンスがある。
> そうさせていただきます is used when you accept someone's invitation and want to show him your respect for his consideration.

　　練習2　A：関連会社で勉強会をやることになったんですが、御社も参加なさいませんか。
　　　　　　B：はい。そうさせていただきます。

第 5 課　誘い

(2) 断る　Declining
断る　お誘いはありがたいんですが、～のはちょっと難しいですね。

> Note
> 「そと」の人からの誘いを断るのは難しい。必ず、誘ってもらって喜んでいるという気持ちを伝えておくことが、人間関係をスムーズにするために大切である。
> It is difficult to decline invitations from people who do not belong to your group. Consequently, it is very important to show your gratitude in order to ensure the relationship continues running smoothly.

練習2　A：関連会社で勉強会をやることになったんですが、御社も参加なさいませんか。
　　　　B：お誘いはありがたいんですが、勉強会に参加するのはちょっと難しいですね。

2. 勧める　Offering things
丁寧に勧める　～でもいかがですか。

(1) 受ける　Accepting
受ける　ありがとうございます
練習2　A：何かお酒でもいかがですか。
　　　　B：ありがとうございます。

(2) 断る　Declining
断る　いえ、どうぞお構いなく。
練習2　A：何かお酒でもいかがですか。
　　　　B：いえ、どうぞお構いなく。

▶ロールプレイ
1. A：今度、青山スポーツクラブの法人会員になったんですが、御社もお入りになりませんか。
   B：お誘いはありがたいんですが、入るのはちょっと難しいですね。
2. A：何か雑誌でもいかがですか。
   B：ありがとうございます。
3. A：今度新製品の発表会を行うんですが、御社も出席なさいませんか。
   B：はい。そうさせていただきます。
4. A：何かデザートでもいかがですか。
   B：いえ、どうぞお構いなく。

STAGE 2

（社内）

会話1　上司を誘う　Inviting a superior
[場面 situation]　みんなで飲みに行くことになり、部長を誘う。

第5課　誘い

[機能 functions]　都合を聞く　ちょっとよろしいですか。(第3課)
　　　　　　　　　丁寧に誘う　【尊敬語 deferential expression】　ませんか。

[解答 answers]　1.　1)　飲みに誘われた。
　　　　　　　　　　2)　受けた。
　　　　　　　　3.　①ちょっとよろしいですか
　　　　　　　　　　②いらっしゃいませんか
　　　　　　　　5.　B（女性）
　　　　　　　　　　A：部長、ちょっとよろしいですか。
　　　　　　　　　　B：ええ。
　　　　　　　　　　A：今週の金曜日、みんなで野球の試合に行くんですが、部長もいらっしゃいませんか。
　　　　　　　　　　B：今週の金曜日。
　　　　　　　　　　A：たまにはいかがですか。
　　　　　　　　　　B：じゃあ、行きましょうか。
　　　　　　　　　　A：では、詳しいことは後で連絡します。

会話2　同僚を飲みに誘う　Inviting a colleague for a drink

[場面 situation]　同僚を飲みに誘うが断られる。
[機能 functions]　予定を聞く　[予定/時間] ある。
　　　　　　　　　誘う　　　　～ない。
　　　　　　　　　断る　　　　それが、～んで
　　　　　　　　　断る　　　　また今度にしてくれる。

[解答 answers]　1.　1)　行かない。
　　　　　　　　　　2)　最近忙しくて疲れているから。
　　　　　　　　3.　①予定ある
　　　　　　　　　　②飲みに行かない
　　　　　　　　　　③それが、最近残業が続いているんで
　　　　　　　　　　④また今度にしてくれる
　　　　　　　　　　B（男性）
　　　　　　　　5.　A：Bさん、今、時間ある。
　　　　　　　　　　B：うん、少しならあるけど…。
　　　　　　　　　　A：前の喫茶店で、一緒にコーヒーでも飲まない。
　　　　　　　　　　B：いやあ、それが、取引先からの電話を待っているんで…。
　　　　　　　　　　A：まあいいじゃない。10分くらい。
　　　　　　　　　　B：うん。だけど、電話があった時にいないとまずいし、やっぱりやめとくよ。また今度にしてくれる。
　　　　　　　　　　A：そうか。じゃ、また今度。

第5課　誘い

[社外]

会話　共同輸送の説明会に誘う　Inviting someone in the same business to a work-related meeting

[場面 situation]　東洋電気を訪問したBに、Aは冷たい飲み物を勧める。Aはワールドエレクトロニクスを共同輸送の説明会に誘う。

[機能 functions]
丁寧に勧める　　～でもいかがですか。
断る　　　　　　いえ、どうぞお構いなく。
受ける　　　　　遠慮なくいただきます。
話題を変える　　ところで
丁寧に誘う　　　【尊敬語 deferential expression】ませんか。
返事を保留する　考えておきます。

[解答 answers]
1. 1) 返事を保留した。
3. ①何か冷たいものでもいかがですか
　　②いえ、どうぞお構いなく
　　③遠慮なくいただきます
　　④ところで
　　⑤いらっしゃいませんか
　　⑥考えておきます
5. A：お寒いところ、ありがとうございます。何か温かい物<u>でもいかがですか</u>。
　　B：<u>いえ、どうぞお構いなく</u>。
　　A：私もいただきますから。
　　B：そうですか。それでは、<u>遠慮なくいただきます</u>。
　　A：<u>ところで</u>、当社ではこれからは高齢者にも使いやすい商品を考えなければならないと思っていまして。
　　B：はい。
　　A：それで、規格を統一したいと考えていて、同業者に声をかけているんです。
　　B：規格の統一ですか。
　　A：今のように規格がばらばらだと、使いにくいし、生産コストも高くなります。よろしければ、規格の統一の試案作成に<u>参加なさいませんか</u>。
　　B：そうですねえ。まあ、<u>考えておきます</u>。

STAGE 3

1. 部長をテニスに誘う　Inviting a superior to a tennis weekend　STAGE 2 社内　会話1
　都合を聞く　ちょっとよろしいですか。（第3課）
　丁寧に誘う　【尊敬語 deferential expression】ませんか。
　B（男性）
　A：部長、<u>ちょっとよろしいですか</u>。
　B：ああ。

第5課　誘い

A：8月の初めに、みんなで軽井沢にテニスに行くことになったんですが、部長もいらっしゃいませんか。
B：8月の初め。
A：たまにはいかがですか。
B：じゃあ、行こうか。
A：では、詳しいことは、後で連絡します。

2. 同僚を飲みに誘う　Inviting a colleague for a drink　STAGE 2 社内　会話2
予定を聞く　〔予定〕ある。
誘う　　　〜ない。
A（男性）
A：Bさん。今晩予定ある。
B：いや、別に何もないけど。
A：いい店を見つけたんだけど、今晩一緒に飲みに行かない。
B：何ていう店。
A：新宿に今度できた「トリオ」っていう店なんだけど、静かで落ち着いた店で、料理がおいしいんだ。
B：へえ。値段はどう。高いんじゃない。
A：それが安いんだよ。
B：そう、じゃあ、行く。
A：じゃ、5時半に会社を出よう。
B：わかった。
A：じゃあ、またあとで。

3. 同業者を勉強会に誘う　Inviting a fellow businessman to a study meeting　STAGE 2 社外
丁寧に勧める　〜でもいかがですか。
断る　　　　　いえ、どうぞお構いなく。
受ける　　　　遠慮なくいただきます。
丁寧に誘う　【尊敬語 deferential expression】ませんか。
断る　　　　　お誘いはありがたいんですが、〜のはちょっと難しいですね。

A：お待たせしました。何か飲み物でもいかがですか。
B：いえ、どうぞお構いなく。
A：私もいただきますから。
B：そうですか。じゃあ、遠慮なくいただきます。ところで、今度同業者が集まって、勉強会をやろうということになりまして。
A：そうですか、勉強会ですか。
B：ええ。それで、私どもも参加しようということになったんですが、ワールドエレクトロニクスさんも参加なさいませんか。
A：そうですね、どんなメンバーでやるんでしょうか。
B：東京にある電気メーカーの社員がメンバーなんですよ。毎回講師を呼んで、参考になる話を聞こうっていうものなんですよ。勉強になると思うんですが。
A：それはおもしろそうですね。それで、いつやるんですか。
B：毎週水曜日の朝、7時半から8時45分まで、ホテルオームラでやるそうですよ。

第 5 課　誘い

A：ホテルオームラですか…。当社からちょっと遠いですねえ。8時45分までだと始業時間に間に合いそうもないですねえ。
B：でも、そんなに遅れないでしょう。
A：いやあ、それで、会費とかはどうなってるんでしょうか。
B：会費は1回1万円で、毎回係の人に払うことになっています。
A：そうですか、1万円ですか。
B：いろいろ参考になる話が聞けそうですし、よろしかったら、一度雰囲気を見にいらっしゃいませんか。
A：ええ。でも、始業時間に遅れそうですし、お誘いはありがたいんですが、参加するのはちょっと難しいですね。
B：そうですか、残念ですねえ。
A：また次の機会によろしくお願いいたします。

STAGE 4

To the teacher

（社内）

まず、どんな会話になるか想像させ、書かせる。その後で実際に行ってみて、どんな会話になったか、もう一度書かせる。想像と違った部分だけ書かせてもよい。そしてクラスで、各自の結果を発表させる。想像と違った部分について、なぜそうなったのか理由を考えさせ、話し合うとよいだろう。

Key expressions

〜ませんか。	誘う	STAGE 1 社内
ええ、喜んで。／ええ、ぜひ。／ええ、いいですね。／		
ええ、おもしろそうですね。	受ける	STAGE 1 社内
ちょっと、〜んで…。	断る	STAGE 1 社内
〜でもどうですか。	勧める	STAGE 1 社内
いいですね。	受ける	STAGE 1 社内
それが、〜んですよ。	断る	STAGE 1 社内
【尊敬語 deferential expression】ませんか。	丁寧に誘う	STAGE 1 社外
はい、そうさせていただきます。	受ける	STAGE 1 社外
お誘いはありがたいんですが、〜のはちょっと難しいですね。	断る	STAGE 1 社外
〜でもいかがですか。	丁寧に勧める	STAGE 1 社外
ありがとうございます。	受ける	STAGE 1 社外
いえ、どうぞお構いなく。	断る	STAGE 1 社外
［予定／時間］ある。	予定を聞く	STAGE 2 社内
〜ない。	誘う	STAGE 2 社内
それが、〜んで	断る	STAGE 2 社内
また今度にしてくれる。	断る	STAGE 2 社内

第5課　　誘い

遠慮（えんりょ）なくいただきます。
ところで
考（かんが）えておきます

受（う）ける　　　　　　STAGE 2 社外
話題（わだい）を変（か）える　　STAGE 2 社外
返事（へんじ）を保留（ほりゅう）する　STAGE 2 社外

第6課　電話　Telephoning

STAGE 1

▣ 社内

1. **電話を取り次ぐ**　Answering the phone and putting people through
   電話を取り次ぐ　　　今、代わります。
   練習2　A：もしもし、企画部のAですけど、Cさんいますか。
   　　　　B：Cさんですね。今、代わります。Cさん、企画部のAさんから3番に電話が入っています。
   　　　　C：もしもし、Cです。
   　　　　A：Aです。実は、ちょっと相談したいことがあるんですけど。

2. **伝言を頼む**　Asking to leave a message
   伝言を頼む　　　　ちょっと伝えてもらいたいことがあるんですけど。
   練習2　A：もしもし、企画部のAですけど、Cさんいますか。
   　　　　B：今、外出中ですが。
   　　　　A：そうですか。じゃ、ちょっと伝えてもらいたいことがあるんですけど。
   　　　　B：はい、どうぞ。

3. **伝言を申し出る**　Offering to take a message
   伝言を申し出る　　　何か伝えましょうか。
   伝言の申し出を受ける　じゃ、お願いします。
   練習2　A：もしもし、企画部のAですけど、Cさんいますか。
   　　　　B：今日は大阪へ出張していますが。
   　　　　A：ああ、そうですか。
   　　　　B：何か伝えましょうか。
   　　　　A：じゃ、お願いします。

▶ロールプレイ
1. A：もしもし、企画部のAですけど、Cさんいますか。
   B：Cさんですね。今、代わります。Cさん、企画部のAさんから3番に電話が入っています。
   C：もしもし、Cです。
   A：Aです。実は、ちょっと教えてもらいたいことがあるんですけど。
2. A：もしもし、企画部のAですけど、Cさんいますか。
   B：今、会議中ですが。
   A：そうですか。じゃ、ちょっと伝えてもらいたいことがあるんですけど。
   B：はい、どうぞ。
3. A：もしもし、企画部のAですけど、Cさんいますか。
   B：今、外に出ていますが。

第6課　電話

A：ああ、そうですか。
B：何か伝えましょうか。
A：じゃ、お願いします。

社外

1. **電話を取り次ぐ**　Answering the phone and putting people through

　　あいさつをする　　　　　　（いつも）お世話になっております。（第1課）
　　電話を取り次ぐ　　　　　　少々お待ちください。
　　電話を代わったことを言う　お電話代わりました。

> **Note**
> 「お電話代わりました」は、取り次いでもらった電話に出た時に言う。社内では省略されることもあるが、このように言った方が丁寧な印象を与える。
> When taking over a phone call from someone else, you use お電話代わりました to indicate that the speaker has changed. With internal phone calls it can be omitted, but for outside calls this expression gives a polite impression.

　練習2　A：X社のAと申しますが、いつもお世話になっております。
　　　　　B：こちらこそ、お世話になっております。
　　　　　A：課長のC様いらっしゃいますか。
　　　　　B：Cでございますね。少々お待ちください。課長、X社のAさんから3番に電話が入っています。
　　　　　C：お電話代わりました。Cでございます。
　　　　　A：Aでございます。実は、契約の件でご相談したいことがあるんですが。

2. **伝言を頼む**　Asking to leave a message

　　伝言を頼む　　　　　　　　ちょっと伝えていただきたいことがあるんですが。

　練習2　A：X社のAと申しますが、いつもお世話になっております。
　　　　　B：こちらこそ、お世話になっております。
　　　　　A：課長のC様いらっしゃいますか。
　　　　　B：申し訳ございません。ただ今、外出中でございますが。
　　　　　A：そうですか。では、ちょっと伝えていただきたいことがあるんですが。
　　　　　B：はい、どうぞ。

3. **伝言を申し出る**　Offering to take a message

　　伝言を申し出る　　　　　　もしよろしければ、何かお伝えしましょうか。
　　伝言の申し出を受ける　　　では、お願いいたします。

　練習2　A：X社のAと申しますが、いつもお世話になっております。
　　　　　B：こちらこそ、お世話になっております。
　　　　　A：課長のC様いらっしゃいますか。
　　　　　B：申し訳ございません。今日は大阪へ出張しておりますが。
　　　　　A：ああ、そうですか。
　　　　　B：もしよろしければ、何かお伝えしましょうか。

A：では、お願いいたします。

▶ロールプレイ
1.　A：X社のAと申しますが、いつもお世話になっております。
　　B：こちらこそ、お世話になっております。
　　A：課長のC様いらっしゃいますか。
　　B：Cでございますね。少々お待ちください。課長、X社のAさんから3番に電話が入っています。
　　C：お電話代わりました。Cでございます。
　　A：Aでございます。実は、勉強会の件で教えていただきたいことがあるんですが。
2.　A：X社のAと申しますが、いつもお世話になっております。
　　B：こちらこそ、お世話になっております。
　　A：課長のC様いらっしゃいますか。
　　B：申し訳ございません。ただ今、会議中でございますが。
　　A：そうですか。では、ちょっと伝えていただきたいことがあるんですが。
　　B：はい、どうぞ。
3.　A：X社のAと申しますが、いつもお世話になっております。
　　B：こちらこそ、お世話になっております。
　　A：課長のC様いらっしゃいますか。
　　B：申し訳ございません。今、外に出ておりますが。
　　A：ああ、そうですか。
　　B：もしよろしければ、何かお伝えいたしましょうか。
　　A：では、お願いします。

STAGE 2

（社内）

会話1　伝言を伝える　Conveying a message

[場面 situation]　他の部署の人から頼まれた、会議の時間が変更になったという伝言を課長に伝える。

[機能 functions]
伝言を頼む　　　　　ちょっと伝えてもらいたいことがあるんですけど。
具体的に伝言を頼む　～って伝えてもらえませんか。
内容を確認する　　　～ということですね。

> **Note**
> 「ということですね」は、相手の言ったことの要点をまとめて言うことにより、内容を確認する表現である。
> ～ということですね is used at the end of summarizing something to confirm you have understood what you heard.

第6課　電話

伝言を伝える　～とのことです。

― Note ―
「～とのことです」は、「～と言っていました」という意味である。
～と言っていました is used to convey a third party's message. It means "Someone said."

[解答 answers]　1.　1)　席をはずしているから。
2)　「今日の会議は3時からに変更になった。」という伝言。
3.　①ちょっと伝えてもらいたいことがあるんですけど
②って伝えてもらえませんか
③ということですね
④とのことです
5.　A：企画部です。
　　B：営業部のBですが、C課長いますか。
　　A：今、来客中ですが。
　　B：そうですか。それじゃ、戻ったら、ちょっと伝えてもらいたいことがあるんですけど。
　　A：はい、どうぞ。
　　B：提案のあった企画なんですが、承認されたって伝えてもらえませんか。
　　A：企画が承認されたということですね。わかりました。
　　B：よろしくお願いします。
　　――課長が戻る
　　A：課長、先ほど営業部のBさんから電話があって、提案のあった企画が承認されたとのことです。
　　C：ああ、そう。わかった。

会話2　同僚に伝言を頼む　Asking a colleague to convey a message
[場面 situation]　帰社が遅くなりそうなので、会社に電話し、同僚に課長への伝言を頼む。
[機能 functions]　伝言を頼む　　　ちょっと伝えてもらいたいことがあるんだけど。
　　　　　　　　具体的に伝言を頼む　～って伝えてもらえない。
　　　　　　　　話を切り上げる　　じゃ、そういうことで。（第2課）

[解答 answers]　1.　1)　会議中だから。
2)　「山手線が事故で止まっているので、会社に戻るのが少し遅くなりそうだ。」という伝言。
3.　①ちょっと伝えてもらいたいことがあるんだけど
②って伝えてもらえない
③じゃ、そういうことで
B（男性）
5.　A：X社営業部でございます。
　　B：もしもし、Aさん。Bだけど、課長いる。
　　A：今日は9時半に出社の予定だけど。
　　B：そうか。じゃ、ちょっと伝えてもらいたいことがあるんだけど。

第6課　電話

A：うん、何。
B：実は、風邪を引いて熱を出しちゃって、39度ぐらいあるんだよ。それで、今日は休ませてもらうって伝えてもらえない。
A：うん、わかった。お大事に。
B：うん。じゃ、そういうことで。よろしく。

社外

会話　伝言を申し出る　Offering to take a message

[場面 situation]　他社から外出中の同僚にかかってきた電話を受け、伝言を申し出る。見積書を送ってもらいたいという伝言を頼まれる。

[機能 functions]
- 伝言を申し出る　　　　もしよろしければ、何かお伝えしましょうか。
- 伝言の申し出を受ける　では、お願いいたします。
- 具体的に伝言を頼む　　～と伝えていただきたいんですが。
- 内容を確認する　　　　～ということでございますね。
- 電話を切る　　　　　　失礼いたします。

[解答 answers]
1. 1) 外出中だから。
   2) 先日、相談した商品の見積書を送ってもらいたい。
3. ①もしよろしければ、何かお伝えしましょうか
   ②では、お願いいたします
   ③と伝えていただきたいんですが
   ④ということでございますね
   ⑤失礼いたします
   ⑥失礼いたします
5. A：X社でございます。
   B：Y社のBと申しますが、いつもお世話になっております。
   A：こちらこそ、お世話になっております。
   B：田中さんいらっしゃいますか。
   A：申し訳ございません。ただ今、出張中でございますが。
   B：そうですか。いつお戻りになりますか。
   A：あさっての予定でございますが。もしよろしければ、何かお伝えしましょうか。
   B：そうですね。では、お願いいたします。先日お話を伺った商品のサンプルを送っていただきたいと伝えていただきたいんですが。
   A：サンプルをお送りするということでございますね。承知いたしました。
   B：よろしくお願いいたします。それでは、失礼いたします。
   A：失礼いたします。

STAGE 3

1. 他の部からの電話　Telephone call from another department　STAGE 2 社内　会話1

第6課　電話

伝言を申し出る　　　　何か伝えましょうか。
伝言の申し出を受ける　じゃ、お願いします。
具体的に伝言を頼む　　～って伝えてもらえませんか。
内容を確認する　　　　～ということですね。

A：営業部です。
B：総務部のBですが、加藤さんいますか。
A：今日は休暇を取っていますが。
B：ああ、そうですか。
A：何か伝えましょうか。
B：じゃ、お願いします。実は、きのう交通費の請求書を受け取ったんですが、その内容について確認したいことがあるので、電話してほしいって伝えてもらえませんか。
A：交通費の請求書の件で、Bさんに電話するということですね。わかりました。
B：よろしくお願いします。

2. 同僚からの電話　Telephone call from a colleague　STAGE 2 社内　会話2
　　伝言を頼む　　　　　　ちょっと伝えてもらいたいことがあるんだけど。
　　具体的に伝言を頼む　　～って伝えてもらえない。
　　話を切り上げる　　　　じゃ、そういうことで。（第2課）
　　B（男性）
A：X社企画部でございます。
B：もしもし、Aさん。Bだけど、課長いる。
A：今、電話中だけど。
B：そう。じゃ、ちょっと伝えてもらいたいことがあるんだけど。
A：うん、何。
B：実は、今まだ横浜支店にいるんだけど、会議が長引いていて、しばらく終わりそうにないんだよ。それで、社に戻るのが少し遅くなりそうだって伝えてもらえない。
A：うん、わかった。
B：じゃ、そういうことで。よろしく。

3. 他社からの電話　Telephone call from another company　STAGE 2 社外
　　伝言を頼む　　　　　　ちょっと伝えていただきたいことがあるんですが。
　　具体的に伝言を頼む　　～と伝えていただきたいんですが。
　　内容を確認する　　　　～ということでございますね。
　　電話を切る　　　　　　失礼いたします。

A：X社でございます。
B：Y社のBと申しますが、いつもお世話になっております。
A：こちらこそ、お世話になっております。
B：課長の山本様、いらっしゃいますか。
A：申し訳ございません。ただ今、席をはずしておりますが。
B：そうですか。では、ちょっと伝えていただきたいことがあるんですが。
A：はい、どうぞ。
B：今日の午後、こちらに来ていただく予定なんですが、その時にコピー機のカタログを持ってきていただきたいと伝えていただきたいんですが。

A：コピー機のカタログをお持ちするということでございますね。承知いたしました。
B：よろしくお願いいたします。それでは、失礼いたします。
A：失礼いたします。

STAGE 4

To the teacher

1. 電話でよく使われる表現を確認することが目的である。学習者の方から出てこない場合は、教師が提示し、少なくとも以下の表現は押さえておく。
    1) 自分にかかってきた電話で、相手が名前を言わない時
        ・失礼ですが、どちら様でしょうか。
    2) 他の人にかかってきた電話で、相手が名前を言わない時
        ・恐れ入りますが、お名前をいただけますか。
    3) 相手の声が小さい時
        ・社内…ちょっと電話が遠いんですが。
        ・社外…少々お電話が遠いようですが。

2. 伝言メモを書く練習である。まず、どこに何を書くのか確認し、初めに教師が手本を示すとよいだろう。

Key expressions

今、代わります。	電話を取り次ぐ	STAGE 1 社内
ちょっと伝えてもらいたいことがあるんですけど。	伝言を頼む	STAGE 1 社内
何か伝えましょうか。	伝言を申し出る	STAGE 1 社内
じゃ、お願いします。	伝言の申し出を受ける	STAGE 1 社内
少々お待ちください。	電話を取り次ぐ	STAGE 1 社外
お電話代わりました。	電話を代わったことを言う	STAGE 1 社外
ちょっと伝えていただきたいことがあるんですが。	伝言を頼む	STAGE 1 社外
もしよろしければ、何かお伝えしましょうか。	伝言を申し出る	STAGE 1 社外
では、お願いいたします。	伝言の申し出を受ける	STAGE 1 社外
〜って伝えてもらえませんか。	具体的に伝言を頼む	STAGE 2 社内
〜ということですね。	内容を確認する	STAGE 2 社内
〜とのことです。	伝言を伝える	STAGE 2 社内
ちょっと伝えてもらいたいことがあるんだけど。	伝言を頼む	STAGE 2 社内
〜って伝えてもらえない。	具体的に伝言を頼む	STAGE 2 社内
〜と伝えていただきたいんですが。	具体的に伝言を頼む	STAGE 2 社外
〜ということでございますね。	内容を確認する	STAGE 2 社外
失礼いたします。	電話を切る	STAGE 2 社外

第7課　アポイント

第7課　アポイント　Appointments

　仕事上のアポイントは、社外の人との場合がほとんどだと考えられるので、ここでは社外のみを扱っている。また、アポイントはたいてい電話で取るので、この課に入る前に電話のかけ方を確認しておく。

STAGE 1

1. **アポイントの申し入れ**　Asking for an appointment
   アポイントを申し入れる　　お時間いただきたいんですが。
   都合を聞く　　　　　　　　～がよろしいでしょうか。
   練習2　A：共同企画の件についてご相談したいことがございますので、お時間いただきたいんですが。
   　　　　B：ええ、いいですよ。
   　　　　A：では、いつがよろしいでしょうか。
   　　　　B：そうですねえ。

2. **曜日の設定**　Setting up the meeting day
   意向を尋ねる　　　　　　　～はいかがですか。
   断る　　　　　　　　　　　～はちょっと…。（第3課）
   条件付きで受ける　　　　　～たら構いません。
   練習2　A：来週の中ごろはいかがですか。
   　　　　B：来週の中ごろはちょっと…。
   　　　　A：そうですか。では、金曜日あたりはいかがですか。
   　　　　B：ええ、金曜日でしたら構いませんよ。

3. **時間の設定**　Setting up the time
   都合を聞く　　　　　　　　～がよろしいでしょうか。
   練習2　A：金曜日の何時ごろがよろしいでしょうか。
   　　　　B：金曜日なら何時でも構いませんよ。
   　　　　A：では、10時半ごろはいかがですか。
   　　　　B：ええ、いいですよ。

4. **日時の確認と場所の設定**　Confirming the date and time and deciding where to meet
   意向を確認する　　　　　　～ということでよろしいでしょうか。
   練習2　A：それでは、23日金曜の10時半ということでよろしいでしょうか。
   　　　　B：ええ。
   　　　　A：御社のどちらに伺いましょうか。
   　　　　B：私どものビルの4階営業部にお越しください。

第7課　アポイント

5. **確認して電話を切る**　Confirming the arrangements and ending the conversation
   内容を確認する　　　　　～ということでございますね。（第6課）
   電話を切る　　　　　　失礼いたします。（第6課）

   練習2　A：では、御社の4階営業部に23日金曜日の10時半ということでございますね。
   　　　　B：はい、お待ちしております。
   　　　　A：ありがとうございました。失礼いたします。

▶ロールプレイ
1. A：見積もりについてお聞きしたいことがございますので、お時間いただきたいんですが。
   B：ええ、いいですよ。
   A：では、いつがよろしいでしょうか。
   B：そうですねえ。
2. A：来週の初めはいかがですか。
   B：来週の初めはちょっと…。
   A：そうですか。では、来週の木曜日あたりはいかがですか。
   B：ええ、木曜日でしたら構いませんよ。
3. A：木曜日の何時ごろがよろしいでしょうか。
   B：木曜日なら何時でも構いませんよ。
   A：では、3時ごろはいかがですか。
   B：ええ、いいですよ。
4. A：それでは、13日木曜日の3時ということでよろしいでしょうか。
   B：ええ。
   A：御社のどちらに伺いましょうか。
   B：私どものビルの3階営業部にお越しください。
5. A：では、御社の3階営業部に13日木曜日の3時ということでございますね。
   B：はい、お待ちしております。
   A：ありがとうございました。失礼いたします。

STAGE 2

会話1　アポイントを取る　Making an appointment

[場面 situation]　電話でアポイントを申し入れ、日時、場所を決め、確認して電話を切る。
[機能 functions]　アポイントを申し入れる　　お時間いただきたいんですが。
　　　　　　　　　都合を聞く　　　　　　　～がよろしいでしょうか。
　　　　　　　　　意向を尋ねる　　　　　　～はいかがですか。
　　　　　　　　　条件付きで受ける　　　　～たら構いません。
　　　　　　　　　意向を確認する　　　　　～ということでよろしいでしょうか。
　　　　　　　　　内容を確認する　　　　　～ということでございますね。（第6課）
　　　　　　　　　電話を切る　　　　　　　失礼いたします。（第6課）

[解答 answers]　1.　1)　7日木曜日の1時に決まった。
　　　　　　　　　　2)　Y社の3階商品開発部。

第7課　アポイント

3. ①お時間いただきたいんですが
②がよろしいでしょうか
③はいかがですか
④でしたら構いませんよ
⑤がよろしいでしょうか
⑥はいかがですか
⑦ということでよろしいでしょうか
⑧ということでございますね
⑨失礼いたします。

5. A：共同開発の件についてご相談したいことがございますので、お時間いただきたいんですが。
B：ええ、いいですよ。
A：では、いつがよろしいでしょうか。
B：そうですねえ。
A：来週の月曜日はいかがですか。
B：ええ、来週の月曜日でしたら構いませんよ。
A：月曜日の何時ごろがよろしいでしょうか。
B：そうですね。3時ごろはいかがですか。
A：はい。それでは、来週、月曜日の3時ということでよろしいでしょうか。
B：ええ。
A：御社のどちらに伺いましょうか。
B：私どものビルの302会議室にお越しください。
A：では、御社の302会議室に月曜日の3時ということでございますね。
B：はい、お待ちしております。
A：ありがとうございました。失礼いたします。

会話2　アポイントの日時の変更依頼　Asking to change the date

[場面 situation]　電話で打ち合わせの日時の変更を依頼し、変更した日時を決める。
[機能 functions]　話を切り出す　　　　実は（第3課）
　　　　　　　　丁寧に依頼する　　　できましたら、〜（さ）せていただきたいんですが。
　　　　　　　　確認する　　　　　　〜ですね。
　　　　　　　　条件付きで受ける　　〜たら構いません。
　　　　　　　　意向を尋ねる　　　　〜はいかがですか。
　　　　　　　　意向を確認する　　　〜ということでよろしいでしょうか。
　　　　　　　　謝る　　　　　　　　大変勝手なことを申しまして申し訳ございません。
　　　　　　　　電話を切る　　　　　失礼いたします。（第6課）

[解答 answers]　1. 1) 急に出張することになり、打ち合わせの日時の変更を依頼するため。
　　　　　　　　2) 木曜日から来週月曜日の3時に変更になった。
　　　　　　　3. ①実は
②できましたら、来週の初めに変更させていただきたいんですが
③ですね
④でしたら構いません

第7課　アポイント

　　　　　⑤はいかがですか
　　　　　⑥ということでよろしいでしょうか
　　　　　⑦大変勝手なことを申しまして申し訳ございませんが
　　　　　⑧失礼いたします。
　　5.　A：お電話代わりました。Aです。
　　　　B：Y社のBでございます。いつもお世話になっております。
　　　　A：こちらこそ、いつもお世話になっております。
　　　　B：実は、先日お約束いたしました打ち合わせの件なんですが…。
　　　　A：はあ。
　　　　B：金曜日にお約束したと存じますが、急な用事が入ってしまいまして、できましたら、来週の中ごろに変更させていただきたいんですが。
　　　　A：来週の中ごろですね。木曜日でしたら構いません。
　　　　B：では、木曜日の10時ごろはいかがですか。
　　　　A：ええ、いいですよ。
　　　　B：それでは、来週木曜日10時ということでよろしいでしょうか。大変勝手なことを申しまして申し訳ございませんが、よろしくお願いいたします。
　　　　A：はい。では、お待ちしておりますので。
　　　　B：失礼いたします。

会話3　アポイントの時間の変更依頼　Asking to change the time

[場面 situation]　電話でアポイントの時間の変更を依頼し、都合を聞いて、変更した時間を決める。

[機能 functions]
　話を切り出す　　　　実は（第3課）
　丁寧に依頼する　　　～（さ）せていただきたいんですが。
　断る　　　　　　　　ちょっと難しいですねえ。（第4課）
　条件付きで受ける　　～たら構いません。
　意向を尋ねる　　　　～はいかがですか。
　謝る　　　　　　　　ご迷惑をかけて申し訳ございません。
　確認する　　　　　　～ということで。
　電話を切る　　　　　失礼いたします。（第6課）

[解答 answers]　1.　1）木曜日の10時から1時半に変更した。
　　　　　　　3.　①実は
　　　　　　　　　②させていただきたいんですが
　　　　　　　　　③ちょっと難しいですねえ
　　　　　　　　　④でしたら何時でも構いませんが
　　　　　　　　　⑤はいかがですか
　　　　　　　　　⑥ご迷惑をかけて申し訳ございません
　　　　　　　　　⑦ということで
　　　　　　　　　⑧失礼いたします
　　　　　　　5.　A：大変お待たせいたしました。Aです。
　　　　　　　　　B：Y社のBでございます。いつもお世話になっております。
　　　　　　　　　A：こちらこそ、どうも。

第7課　アポイント

B：実は、先日お約束した打ち合わせの件なんですが…。
A：ええ。
B：お時間をいただきながら恐縮なんですが、月曜日の1時を2時に変更させていただきたいんですが。
A：少々お待ちください。2時ですか。ちょっと難しいですねえ。午前中でしたら、何時でも構いませんが。
B：そうですか。では10時ごろはいかがですか。
A：ええ、いいですよ。
B：ありがとうございます。ご迷惑をかけて申し訳ございません。
A：いえいえ。
B：それでは、月曜日10時ということで。
A：はい、承知いたしました。
B：失礼いたします。

STAGE 3

1. **アポイントを取る**　Making an appointment　STAGE 2 会話1

アポイントを申し入れる	お時間いただきたいんですが。
都合を聞く	～がよろしいですか。
意向を尋ねる	～はいかがですか。
条件付きで受ける	～たら構いません。
意向を確認する	～ということでよろしいでしょうか。
内容を確認する	～ということでございますね。（第6課）
電話を切る	失礼いたします。（第6課）

   A：打ち合わせの件についてご相談したいことがございますので、お時間いただきたいんですが。
   B：ええ、いいですよ。
   A：では、いつがよろしいでしょうか。
   B：そうですねえ。
   A：金曜日あたりはいかがですか。
   B：ええ、金曜日でしたら構いませんよ。
   A：金曜日の何時ごろがよろしいでしょうか。
   B：そうですね。10時ごろはいかがですか。
   A：はい。それでは、金曜日の10時ということでよろしいでしょうか。
   B：ええ。
   A：御社のどちらに伺いましょうか。
   B：私どものビルの10階、広報室にお越しください。
   B：では、御社の10階、広報室に16日、金曜日の10時ということでございますね。
   A：はい、お待ちしております。
   B：ありがとうございました。失礼いたします。

第7課　アポイント

2. アポイントの変更　Changing an appointment　STAGE 2 会話2

　　名前を言う　　　　～でございます。（第1課）
　　あいさつをする　　いつもお世話になっております。（第1課）
　　話を切り出す　　　実は（第3課）
　　丁寧に依頼する　　できましたら、～（さ）せていただきたいんですが。
　　確認する　　　　　～ですね。
　　条件付きで受ける　～たら構いません。
　　意向を尋ねる　　　～はいかがですか
　　意向を確認する　　～ということでよろしいでしょうか。
　　謝る　　　　　　　大変勝手なことを申しまして申し訳ございません
　　電話を切る　　　　失礼いたします。（第6課）

A：X社のAでございます。いつもお世話になっております。
B：こちらこそ、いつもお世話になっております。
A：実は、先日お約束した件なんですが…。
B：はあ。
A：金曜日にお約束したと存じますが、大阪へ出張しなければならなくなってしまいまして、できましたら、来週の初めに変更させていただきたいんですが。
B：来週ですね。月曜日でしたら構いませんよ。
A：では、月曜日の1時はいかがですか。
B：ええ、いいですよ。
A：それでは、来週月曜日1時ということでよろしいでしょうか。大変勝手なことを申しまして申し訳ございませんが、よろしくお願いいたします。
B：はい。では、お待ちしておりますので。
A：失礼いたします。

3. アポイントを取って、その後変更する　Making an appointment and then changing it
　（省略　No example dialogue is given.）

STAGE 4

To the teacher

　職場の人がアポイントを取る時に、どのような表現を用いているか書き取らせてくる。それをクラスで発表させ、いろいろな表現があることを確認するとよいだろう。

Key expressions

お時間いただきたいんですが。　　　　　　アポイントを申し入れる　　STAGE 1
～がよろしいでしょうか。　　　　　　　　都合を聞く　　　　　　　　STAGE 1
～はいかがですか。　　　　　　　　　　　意向を尋ねる　　　　　　　STAGE 1
～たら構いません。　　　　　　　　　　　条件付きで受ける　　　　　STAGE 1
～ということでよろしいでしょうか。　　　意向を確認する　　　　　　STAGE 1

第7課　アポイント

(できましたら)〜(さ)せていただきたいんですが。	丁寧に依頼する	STAGE 2
〜ですね。	確認する	STAGE 2
大変勝手なことを申しまして申し訳ございません。	謝る	STAGE 2
ご迷惑をかけて申し訳ございません。	謝る	STAGE 2
〜ということで。	確認する	STAGE 2

第8課　提案・申し出　Proposals and Offers of Help

STAGE 1

社内

1. **申し出る**　Offering help
   申し出る　　　～ましょうか。

(1) **受ける**　Accepting
   受ける　　　　　　ありがとう。助かります。
   練習2　A：大変そうですね。手伝いましょうか。
   　　　　B：ありがとう。助かります。

(2) **断る**　Declining
   断る　　　　　　ありがとう。でも、大丈夫ですから。

   > **Note**
   > 申し出を断る時は、申し出をしてくれた相手の心遣いに対して感謝の意を示してから断る。
   > When you decline someone's offer of help, you should show your appreciation for the offer before actually declining.

   練習2　A：大変そうですね。手伝いましょうか。
   　　　　B：ありがとう。でも、大丈夫ですから。

2. **会議で提案する**　Making a proposal at a meeting
   提案する　　　　～たらどうでしょうか。
   意見を求める　　～について、何か意見がありますか。
   練習2　A：新型のパソコンのキャンペーンについて、何か意見がありますか。
   　　　　B：店頭でデモンストレーションをしたらどうでしょうか。

▶ロールプレイ
1. A：大変そうですね。計算、少し手伝いましょうか。
   B：ありがとう。でも、大丈夫ですから。
2. A：中国に支店を出すことについて、何か意見がありますか。
   B：現地の景気の見通しをもっと詳しく分析したらどうでしょうか。
3. A：大変そうですね。校正、半分やりましょうか。
   B：ありがとう。助かります。

第8課　提案・申し出

社外

1. **申し出る**　Offering help
   申し出る　　　　～いたしましょうか。

(1) **受ける**　Accepting
   受ける　　　　そうしていただけるとありがたいです。

> **Note**
> 「ありがたいです」は、相手の配慮に対してうれしい気持ちを表わすと同時に、感謝の意味も含む表現。「ありがとうございます」よりも、相手の配慮に対して感謝の気持ちを誠意を持って表現したいときに用いる。
> Compared to ありがとうございます, this expression is used when you want to sincerely show your gratitude for someone's consideration. ありがたいです shows the speaker is pleased as well as grateful for someone's consideration.

   練習2　A：よろしければ、タクシーを手配いたしましょうか。
   　　　　B：そうしていただけるとありがたいです。

(2) **断る**　Declining
   断る　　　　　せっかくですが
   練習2　A：よろしければ、タクシーを手配いたしましょうか。
   　　　　B：せっかくですが、私どもでいたしますので。

2. **合同会議で提案する**　Making a proposal at a joint meeting
   提案する　　　～たらいかがでしょうか。
   意見を求める　～について、何かご意見がございますか。
   練習2　A：宣伝方法について、何かご意見がございますか。
   　　　　B：まず、他社の宣伝方法を分析したらいかがでしょうか。

▶ロールプレイ
   1. A（X社社員）：よろしければ、ABCコンサルティングのストーンさんをご紹介いたしましょうか。
      B（Y社社員）：そうしていただけるとありがたいです。
   2. A（X社社員）：車のデザインについて、何かご意見がございますか。
      B（Y社社員）：クラシックなデザインにしたらいかがでしょうか。
   3. A（X社社員）：よろしければ、ABCコンサルティングに連絡いたしましょうか。
      B（Y社社員）：せっかくですが、私どもでいたしますので。

第8課　提案・申し出

STAGE 2

(社内)

会話1　上司への申し出　Offering to help a superior
[場面 situation]　ジョーンズがアメリカで世話になった上司が来社する。飲み会の幹事と成田への出迎えを申し出たところ、幹事の申し出だけ受け入れてもらう。
[機能 functions]　申し出る　　　　〜ましょうか。
　　　　　　　　受ける　　　　　ありがとう　助かる［よ。/わ。］
　　　　　　　　積極的に申し出る　わたしがやります。

> Note
> 「〜ましょうか」が相手の意向を確認しながら申し出ているのに対し、「わたしがやります」は自ら進んで強く申し出をしたい時に用いる表現。
> Compared with ましょうか, which is used to seek other's permission when offering to do something, わたしがやります simply states you are willing to do it.

[解答 answers] 1.　1)　アメリカにいた時にいろいろお世話になったから。
　　　　　　　　2)　行かない。木村さんが行く。
　　　　　　　　3)　（飲み会の）幹事で大変だから。
　　　　　　3.　①幹事をしましょうか
　　　　　　　　②ありがとう。助かるわ
　　　　　　　　③わたしがやります
　　　　　　5.　A（女性）
　　　　　　　　A：来月初め、部でゴルフコンペが行われることになったの。
　　　　　　　　B：ああ、部のゴルフコンペですか。わたしも3年前に一度参加したことがあります。
　　　　　　　　A：それで、今回は、うちの課で幹事をすることになったんだけど…。
　　　　　　　　B：おもしろそうですねえ。よろしかったら、幹事をしましょうか。
　　　　　　　　A：ああ。ありがとう。助かるわ。あと、会員の名簿作成なんだけど…。
　　　　　　　　B：では、それもわたしがやります。
　　　　　　　　A：いやあ、Bさんは幹事で大変だから、松本さんに頼むわ。ありがとう。

会話2　同僚への申し出　Offering to help a colleague
[場面 situation]　会議の資料作成の手伝いを申し出るが断られる。申し出を遠慮しているようなので、再度申し出て手伝う。
[機能 functions]　申し出る　【意向形 volitional form】か。

> Note
> 「【意向形】＋か」は、同僚同士、または親しい間柄で用いられる表現。
> 【volitional form】か is used between colleagues or friends.

　　　　　　　　遠慮する　申し訳ないから。

第8課　提案・申し出

> Note
> ここでの「申し訳ないから」には本来「あなたに負担になって申し訳ないから、大丈夫です」という意味が含まれている。
> 申し訳ない here means "As this is too much trouble for you, I'll do it by myself."

受ける　悪いねえ。／悪いわねえ。

> Note
> ここでの「悪い（わ）ねえ」は本来「悪いけれどお願いします」という意味が含まれている。
> 悪い（わ）ねえ (it is bad) here means "I know it is troublesome, but can you….?"

[解答 answers] 1. 1) 受けなかった。
2) 申し訳ないと思って遠慮したから。
3. ①手伝おうか
②申し訳ないから
③悪いわねえ
5. A（男性）B（女性）
A：Bさん。ワープロ打ち、もう出来上がった。
B：それが、思ったより時間がかかるのよ。
A：そうか。1時の会議までに間に合う。
B：うん、まあ。何とか…。
A：今、11時半だから、ちょっとぎりぎりになりそうだなあ。よかったら、手伝おうか。
B：ううん、そんな。申し訳ないから。
A：遠慮することないよ。今、手が空いているから。
B：悪いわねえ。じゃあ、このページからなんだけど…。

（社　外）

会話　合同会議　Joint meeting
[場面 situation] 合同会議で高齢者のニーズ調査について意見を求められ、使いやすさだけでなく、安全性や価格についても考える必要があると提案する。
[機能 functions] 意見を求める　〜について、何かご意見がございますか。
提案する　〜たらいかがでしょうか。
意見を求める　〜についてはいかがでしょうか。

[解答 answers] 1. 1) 使いやすさだけでなく、安全性や価格についても考えたらどうかという提案が出された。
2) 確かにそうだと言って賛成した。
3. ①について、何かご意見がございますか
②考えたらいかがでしょうか

第8課　提案・申し出

　　　　　③についてはいかがでしょうか
　5.　A：それでは、中国での従業員の採用について、何かご意見がございますか。
　　　B：開店1年目は人員の60%を日本から派遣しなければならないと思いますが、2年目からは現地の人の採用を増やしていったらいかがでしょうか。
　　　A：ただ今のX社さんのご提案についてはいかがでしょうか。
　　　C：確かに現地の人の採用は重要ですね。

STAGE 3

1. **歓迎会の幹事**　Offering to help a superior　STAGE 2 社内1
   申し出る　　　　〜ましょうか。
   受ける　　　　　ありがとう。助かるよ。
   積極的に申し出る　やります。
   A（男性）
   A：今度、本社から新しい部長として、井上部長がいらっしゃることになってね。
   B：ああ、井上部長ですか。わたしも新人研修ではいろいろお世話になりました。とても厳しい方ですが、本当に親切な方でした。
   A：それで、うちの部で来週歓迎会をやろうと思っているんだけど…。
   B：ええ、いいですねえ。よろしかったら、幹事をしましょうか。
   A：ああ、ありがとう。助かるよ。あと、部長の使うパソコンなんだけど…。
   B：では、それもやります。
   A：いやあ、Bさんは歓迎会の幹事で大変だから、この件は吉田さんにやってもらうよ。

2. **同僚のへ申し出**　Offering to help a colleague　STAGE 2 社内2
   申し出る　　　　【意向形 volitional form】か。
   遠慮する　　　　申し訳ないから。
   受ける　　　　　悪いなあ。
   A（男性）　B（男性）
   A：ワールド物産に持っていく見積書どう。
   B：それが、思ったより時間がかかるんだ。
   A：そうか。あしたまでに間に合う。
   B：うん、まあ。何とか…。
   A：あしたのプレゼンテーションの準備もあるんだろう。よかったら、何か手伝おうか。
   B：いやあ、そんな。申し訳ないから。
   A：遠慮するなよ。今日忙しくないから。
   B：悪いなあ。じゃあ、このグラフのまとめ、いいかなあ。
   A：いいよ。

3. **車の共同開発**　Making proposals at a meeting　STAGE 2 社外
   意見を求める　　〜について、何かご意見がございますか。
   提案する　　　　〜たらいかがでしょうか。

第8課　提案・申し出

意見を求める　　～についてはいかがでしょうか。
A：それでは、今回共同開発する車のコンセプトについて、何かご意見がございますか。
B：こちらの「未来の車に期待するもの」のアンケートをご覧ください。このアンケート調査からみると、20代の若者向けに開発をするのでしたら、デザインを第一に考えなければならないと思いますが、機能性や価格についても考えたらいかがでしょうか。
A：ただ今のY社さんのご提案についてはいかがでしょうか。
C：確かに機能性や価格も重要ですね。

STAGE 4

To the teacher

いろいろな場面で聞いた提案や申し出の表現を書かせる。どのような状況で用いられたのかクラスで発表させ、他の人と比較させるとよい。

Key expressions

～ましょうか。	申し出る	STAGE 1 社内
ありがとう。助かります。	受ける	STAGE 1 社内
ありがとう。でも大丈夫ですから。	断る	STAGE 1 社内
～たらどうでしょうか。	提案する	STAGE 1 社内
～について、何か意見がありますか。	意見を求める	STAGE 1 社内
～いたしましょうか。	申し出る	STAGE 1 社外
そうしていただけるとありがたいです。	受ける	STAGE 1 社外
せっかくですが	断る	STAGE 1 社外
～たらいかがでしょうか。	提案する	STAGE 1 社外
～について、何か意見がございますか。	意見を求める	STAGE 1 社外
ありがとう。助かる［よ。／わ。］	受ける	STAGE 2 社内
（わたしが）やります。	積極的に申し出る	STAGE 2 社内
【意向形 volitional form】か。	申し出る	STAGE 2 社内
申し訳ないから。	遠慮する	STAGE 2 社内
悪いねえ。／悪いなあ。／悪いわねえ。	受ける	STAGE 2 社内
～についてはいかがでしょうか。	意見を求める	STAGE 2 社外